Vers Compostelle

Les photographies qui illustrent le présent ouvrage sont de l'auteur

JANINE DUCROT

VERS
COMPOSTELLE

GRANDES ROUTES
ET PETITS CHEMINS TOURISTIQUES

2e Édition

NOUVELLES ÉDITIONS LATINES
1, rue Palatine — 75006 PARIS

I.S.B.N. : 2.7233.0002-1

VERS COMPOSTELLE

GRANDES ROUTES ET PETITS CHEMINS TOURISTIQUES

Ce n'est pas un guide touristique... Ce n'est pas un livre d'archéologie... Ce n'est pas l'histoire du Moyen Age...

Parce qu'il existe des guides touristiques fort bien faits pour toutes les régions de France et d'Espagne. Parce que de nombreux archéologues avec beaucoup de compétence ont fait des recherches sur les monuments des cinq routes de saint Jacques. Parce que des écrivains se sont spécialisés dans l'étude du Moyen Age et nous ont donné d'intéressantes études.

Plagiaire de tous ceux qui ont compris la grandeur et la force de ces « Routes » qui ont fait notre passé si riche, je les ai parcourues à mon tour dans l'enthousiasme et la joie.

Mon seul propos est de vous inviter à vous mettre en route et de vous communiquer ces deux sentiments.

*
* *

C'était par une belle nuit d'été au mois d'août. J'étais alors une fillette qui, allongée dans l'herbe, arrachait quelques brins et qui, en les mâchonnant, regardait la voûte étoilée...

J'étais en montagne et jamais sans doute je n'avais été si près du ciel. Une grande traînée blanche attirait mon regard. A cet âge on ne réfléchit pas, on pose des questions et les grands sont là pour y répondre.

— C'est la galaxie, dit l'un...

— C'est la Voie lactée, dit l'autre...

Et ce dernier m'expliqua qu'Hercule ayant aspiré le lait de Junon le rejeta vivement...

— C'est le chemin de saint Jacques, dit une troisième...

Et je n'ai retenu que cette phrase... Depuis, mon imagination voyait l'apôtre marchant sur une route tissée d'étoiles.

On ne reste pas toujours fillette, on grandit même trop vite, mais les souvenirs de jeunesse marquent profondément et si je ne voulais pas perdre mon « héros » il fallait que du ciel il retombât sur terre, que je retrouve sa trace, que je le suive...

Si un jour les grandes organisations de voyages décident de prendre un « saint patron », ce sera certainement saint Jacques le Majeur, puisqu'il est l'ancêtre du tourisme.

Depuis plus de vingt ans je suis à la recherche de tous les lieux visités par les pèlerins de Saint-Jacques. J'ai retrouvé les grandes routes et les petits chemins et j'ai décidé d'offrir à ceux qui désirent marcher sur « les traces de leurs pères » la possibilité, avec le progrès actuel, de réaliser cette évasion dans le temps.

Je m'adresse à ceux qui ne connaissent pas la France, à ceux qui croient la connaître et qui l'ignorent, à ceux qui ont beaucoup voyagé et qui se disent blasés, à ceux pour qui les voyages consistent à faire des kilomètres et qui ne visitent rien, parce que, disent-ils, « si l'on visite, on n'a plus le temps de voir », à ceux qui font des voyages d'affaires avec arrêt dans les restaurants gastronomiques. A tous ceux-là que ce simple petit guide, ouvert à la bonne page entre le bon repas, le bain salutaire et la halte reposante, procure la joie de la découverte qui enrichit l'esprit et élève le cœur.

Depuis le Paradis terrestre perdu, nous sommes tous à la recherche sur cette terre d'un nouveau Paradis. Nous sommes faits pour les départs. Le Viator est appelé sans cesse à dépasser son propre horizon. Cet appel de l'Ailleurs est une marque de notre incomplétude. L'inquiétude contemporain se traduit par une soif d'évasion. André Gide a écrit : « Sors de n'importe où, de ta ville, de ta famille, de ta chambre, de ta pensée... » Et Paul Claudel a ajouté : « Etre tellement parti que l'on ne pourra plus revenir... »

Et nous, les assoiffés de vitesse et de kilomètres, nous devons pourtant reconnaître qu'avant nous d'autres ont marché sur toutes les routes de France et d'ailleurs. On les appelait des pèlerins, on nous appelle des touristes. Nous allons cependant faire un pèlerinage, parce que nous allons vers un lieu, un site, un endroit marqué par un souvenir quelquefois mystérieux, une présence qui fut enrichissante, une œuvre faite de main d'hommes...

Mais qui était mon héros ? Jacques et son frère Jean étaient les fils de Zébédée et de Marie Salomé. Zébédée était un riche pêcheur galiléen, il avait une grande maison, une nombreuse domesticité et des hommes qui pêchaient pour lui. Il était, paraît-il coléreux et son fils aîné hérita de lui dans ce domaine, mais... pour la bonne cause.

Marie Salomé de Betsaide était, paraît-il, sœur de la Vierge, mais le terme ici signifie plutôt parente, cousine.

C'est au bord du lac de Tibériade, le plus beau lac du monde, que Jacques trouva sa vocation. Dieu, dit-on, créa sept mers pour son utilité et un lac pour le régal de ses yeux : le lac de Tibériade.

Jacques et Jean travaillaient à bord d'un bateau avec leur père ; Jésus passa, les appela ; ils lâchèrent leurs filets et le suivirent. Zébédée en rage lança mille imprécations, Marie Salomé se tut, car elle avait foi dans le Messie et souvent, plus tard, à travers la riante Galilée, elle alla retrouver ses fils en suivant le Maître.

Au bord de ce lac, Jacques, dit le Majeur, assista à la tempête apaisée, vit le Christ marcher sur les eaux et aida à tirer le filet qui contenait les cent cinquante-trois poissons de la deuxième pêche miraculeuse. On parle beaucoup du symbolisme des nombres dans la mentalité médiévale et l'on explique par des réalités concrètes ce que saint Augustin écrit : « Ce nombre (cent cinquante-trois) comprend trois fois le nombre cinquante et de plus le nombre trois, symbole du mystère de la Sainte Trinité. Or, le nombre cinquante est le produit du nombre sept multiplié par sept et auquel on ajoute l'unité. Cette unité signifie que c'est le seul et même Esprit qui nous est représenté sur la figure des sept esprits et que selon la promesse du Seigneur, il serait envoyé à ses disciples le cinquantième jour après son ascension dans les cieux. »

A la mort du Christ il restait encore à Jacques douze années à vivre. Lui qui paraissait calme, il devint impétueux et vigoureux en tant qu'apôtre. Il devint le *Fils du Tonnerre* « *Boa-*

nergès » et reçut la palme du martyre à Jérusalem sous le règne d'Hérode Agrippa, premier petit-fils d'Hérode le Grand.

Ici finit l'histoire, maintenant apparaît la légende.

Durant ses années de prédication Jacques serait, paraît-il, allé en Espagne pour évangéliser. Aucun document officiel n'y fait allusion mais après sa mort sept de ses fidèles, craignant les persécutions, décidèrent de quitter la terre sainte et emmenèrent avec eux le corps de leur maître dans un beau cercueil en bois de cèdre qu'ils mirent dans un bateau ; après des jours et des jours la tempête les jeta en Galice dans l'estuaire du fleuve Ullia. A douze lieues de la côte ils élevèrent un tombeau. Et l'oubli recouvrit le tout.

Pendant sept cents ans les invasions déferlèrent : Visigoths, Francs, Burgondes, Vandales et Suèves. Au moment de la paix précaire des Visigoths, en 711, un homme nommé Tarik débarqua au lieu-dit Djebel, depuis appelé Gibraltar, et ce fut la montée rapide de l'Islam arrêtée en 732 par Charles Martel à Moussais-la-Bataille, au nord de Poitiers, avant que le Clain ne se jette dans la Vienne.

L'invasion musulmane redescendit lentement, imprégnant de sa marque les lieux traversés dont nous aurons l'occasion de reparler.

Et de nouveau la légende réapparaît. Des bergers remarquèrent la présence d'une étoile qui brillait chaque nuit sur un plateau désert. Un ermite du nom de Pélage fut averti par une révélation divine du lieu de la sépulture de saint Jacques ; alerté, l'évêque Théodemir fit fouiller et découvrit dans des broussailles un petit édifice contenant un sarcophage de marbre. Le tombeau de saint Jacques était désormais entré dans l'histoire, et le lieu devint « Compostelle », le champ de l'étoile.

Le roi des Asturies, Alphonse II le Chaste, fit construire une première église. A cet édifice d'argile et de pierre succéda une basilique plus somptueuse qu'Alphonse III fit édifier avec des marbres d'Orient.

Un premier pèlerinage partit du Puy en 951 sous la conduite de son évêque Godescale. Mais l'ennemi revint à Compostelle par deux fois, en 988 et en 994. Les cloches de l'église, portées à dos d'hommes par les captifs chrétiens, allèrent jusqu'à Cordoue.

La reconquête s'organise, les Castillos se construisent, il y a des victoires : Clavijo en 844 dont nous reparlerons, Navas de Tolosa le 16 juillet 1212 où le roi de Navarre fit tant de prisonniers qu'il les entoura avec des chaînes et qu'il eut par la suite le droit de porter celles-ci dans son blason, que la France a hérité le jour où Henri IV, roi de Navarre, devint roi de France. Mais il faudra attendre le 2 janvier 1492 pour qu'à Grenade les cloches de l'Alcazaba résonnent en chassant les derniers rebelles à l'arrivée des rois catholiques...

Après la dernière incursion d'El Mançour, l'Infidèle ne s'aventurera plus jusqu'à Santiago. Et c'est là, je crois, qu'il y a lieu de placer Cluny.

Saint Benoît, en 529, fonde l'ordre des Bénédictins au mont Cassin. En 910 fut élevée en Bourgogne une célèbre abbaye bénédictine sous le vocable de Saint Pierre et Saint Paul. Elle ne relevait que de Rome et elle eut à sa tête les plus grands hommes du Moyen Age : Mayeul, Odilon, saint Hugues, Pierre le Vénérable.

L'église mesurait 187,31 mètres de long, et jusqu'à la construction de Saint-Pierre de Rome, ce fut la plus grande église du monde.

Robert de Molesme réforma l'ordre de Cluny en 1098 et fonda Citeaux ; les moines blancs succédèrent aux moines noirs et en 1114 saint Bernard créa Clairvaux qui se détachait de Citeaux.

De Cluny il ne reste que le clocher sud, dit clocher de l'eau bénite, et quelques chapiteaux du chœur de l'église abbatiale, entre autres, le Paradis... perdu.

Le centre spirituel et en quelque sorte politique de l'Europe du Moyen Age fut détruit par un vandalisme inqualifiable mais l'œuvre demeure, et de même qu'en supprimant le pèlerinage de Saint-Jacques on supprime tout ce qui a fait le Moyen Age, on ignorerait ce dit Moyen Age si Cluny ne lui avait pas donné sa pensée créatrice et sa force pacifique.

Il fallait empêcher le Maure de revenir vers cette région où il avait déjà franchi les Pyrénées, il fallait des foules circulant et pour cela des routes et des lieux de repos. Les routes furent tracées ; au XIIᵉ siècle Cluny possédait deux mille couvents et dix mille moines répartis entre abbayes et prieurés. Et cette suprématie s'étendait au-delà des frontières. Il y en eut en Espagne .

Se mettre au service de Dieu et sous sa protection est un acte enviable pour un homme du Moyen Âge. Les pèlerins seront encore plus nombreux que les touristes actuels car, à cette époque, le temps n'existe pas et les chiffres qu'on connaît sont à peine croyables : un demi-million de personnes chaque année sur le chemin de Compostelle.

Le Prophète avait dit : « Le paradis est à l'ombre des épées. » Cette armée sans épée ne se bat pas, c'est l'armée pacifique de la marche pour Dieu, de la croix contre le croissant. Ses hommes portent le surcot et le chaperon à collet, si familier au Moyen Age qu'il a gardé le nom de pèlerine. Un chapeau de feutre au large bord ombrage leurs visages, de gros souliers aux pieds ou même pieds nus, une panetière pendue à la ceinture ou retenue par une courroie contenant le strict indispensable, une haute canne appelée bourdon à la main, voilà notre pèlerin, voilà ces Jacquaires, ces Jacquots, ces Jacquets, ces Jacobites...

Ne nous faisons pas d'illusion : une foi ardente ne les animait pas tous. Certains accomplissaient un vœu, réalisaient une promesse, mais le plus grand nombre était des pénitents. Le divorce n'existant pas à cette époque, le confesseur devait engager le mari à faire un pèlerinage lorsque le ménage semblait ne pas très bien aller ; la femme pour rien au monde ne pouvait trahir un pèlerin et, au retour de cette séparation bénéfique, c'était peut-être une nouvelle lune de miel... Il devait y avoir aussi tous ceux qui étaient attirés par la puissance de l'inconnu, par le désir d'évasion, il y avait les marchands désireux d'exercer leur commerce et même aussi des Coquillards ou mauvais garçons, ancêtres de nos blousons noirs.

On n'a pas attendu la loi de Louis XIV pour obliger les Jacquaires à avoir leurs papiers d'identité. Ils portaient sur eux des attestations de leur curé, de leur évêque, des billets de recommandation.

Ils avaient un guide, ancêtre du Guide bleu et du Bedaeker ; il avait été rédigé en latin vers 1140 par un Français nommé Aimery Picaud, natif de Parthenay. Il a été traduit en 1938 par Jeanne Vielliard et une nouvelle édition en a été publiée en 1950. Je conseille de le lire, des détails savoureux font dresser les cheveux sur la tête. Il dit de toujours se méfier des Navarrais et, bien entendu, l'auteur étant poitevin, les Poitevins y sont les gens les plus sympathiques et les plus cordiaux. Les monastères et les étapes favorables sont indiqués, ainsi que les sanctuaires où des reliques sont à honorer.

Quatre routes principales y sont indiquées en France avec comme point de départ : PARIS, VEZELAY, LE PUY et ARLES. Après avoir franchi les Pyrénées au col de Roncevaux ou à celui du Somport, la cinquième route est celle de l'ESPAGNE qui conduit à Compostelle. A côté de ces grandes routes il existe de nombreuses bretelles et des jonctions pour les pays étrangers. Aucune route en Bretagne qui est païenne ; les Bretons chrétiens, les Normands et ceux d'Angleterre débarqueront à Soulac.

Ces cinq routes existent toujours ; l'art roman né pour elles reste leur plus belle parure et, même si les reliques ont disparu, le sanctuaire demeure ; toutes les pierres sont vivantes, elles racontent leur histoire et c'est cette belle histoire que je vais vous conter...

I

PREMIERE ROUTE

C'est celle qui part de PARIS et dont seule « La Tour » porte encore le nom du fils de Zébédée. A cet emplacement se trouvait l'église de la corporation des bouchers, d'où le nom de Saint-Jacques-de-la-Boucherie ; après la corporation des Nautes dont les armoiries restent celles de la ville de Paris, celle des bouchers venait en second. Non loin de là logeait, au XIVe siècle, Nicolas Flamel que la légende a fait passer pour alchimiste et sorcier. Non loin de la Tour talisman, à l'intersection de deux axes perpendiculaires, à l'aube du 26 janvier 1855, on trouva pendu, rue de la Vieille-Lanterne, l'un des plus grands poètes français : Gérard de Nerval. Au pied de la Tour depuis le centenaire de sa mort, quelques vers sont inscrits : « *Je suis le ténébreux, le veuf, l'inconsolé...* » Souvent je pense à lui au début de cette route, lui qui ne savait jamais s'il vivait dans le rêve ou dans la réalité ; son pèlerinage a-t-il fini le jour où il aurait dû commencer ? Ou plutôt est-il parti comme les autres, mais pour le seul pays d'où personne n'est jamais revenu !

Ayez la curiosité d'aller non loin des Halles de jadis à l'angle de la rue Saint-Denis et de la rue Etienne-Marcel. Un café-bar fait le coin, mais du trottoir en face vous pourrez lire au-dessus du store de grandes lettres que le temps efface chaque jour davantage : « *Aux Statues de Saint Jacques.* » Il en reste en effet trois : saint Jean d'un côté, saint Pierre et saint André de l'autre. Les neuf autres se trouvent au musée de Cluny.

C'est à cet emplacement que s'élevait l'hospice Saint-Jacques des Pèlerins fondé en 1218 par Jean de Saint-Gilles, médecin de Philippe-Auguste. Là se réunissaient les pèlerins venus de plus loin. Les membres de la Confrérie de Saint-Jacques, anciens pèlerins, avaient le privilège d'être exempts d'impôts mais devaient en contrepartie s'occuper matériellement et moralement de ceux qui, groupés en ce lieu, attendaient l'heure du départ.

Le premier couvent de religieux de la règle de saint Dominique fut placé sous l'invocation de saint Jacques et c'est pourquoi les révolutionnaires qui tenaient leurs séances dans l'ancien couvent de la rue Saint-Honoré prirent le nom de Jacobins.

La messe entendue à Saint-Jacques-la-Boucherie, les bourdons bénis, la petite troupe passait la Seine sur un premier pont et entonnait un cantique devant Notre-Dame. C'était toujours au printemps et la nature en fête éclatait en symphonie blanche et rose. Au portail de la Vierge à l'annel, la patronne des fiancés, celle qui sait garder les promesses, au-dessous de la légende du diacre Théophile qui se débat avec le diable, c'est la fuite en Egypte... Marie, l'enfant, Joseph et l'âne situés au nord vont chercher l'Egypte d'est en ouest... Mais Saint Joseph est revêtu du traditionnel costume de pèlerin de Saint-Jacques.

La Seine retraversée, on empruntait l'ancienne voie romaine : l'actuelle rue Saint-Jacques ; à l'emplacement du numéro 172 se trouvait la porte Saint-Jacques de l'enceinte de Philippe Auguste ; la porte franchie, le dernier arrêt était à l'église Saint-Jacques-du-Haut-Pas où parents, amis, religieux qui avaient accompagné les pèlerins, leur disaient adieu. Jusqu'à Louis XI qui créa le relais postal, on devra se contenter de la « poste des occasions », mais le plus souvent on restera durant l'année de séparation sans aucunes nouvelles les uns des autres.

Après Longjumeau, l'étape prévue était au prieuré clunisien de LONGPONT (ne pas confondre avec une autre abbaye de Longpont, dans l'Aisne). La légende y affirme l'existence au temps de saint Denis d'une statue druidique semblable à celle de Chartres : «La Vierge qui doit enfanter. » Le prieuré fut fondé au XIᵉ siècle par le fils de Thibaud File-Etoupe. Sous la Restauration, pour éviter des frais de réfection, on abattit chœur et transept et on les reconstruisit. Reste intact le portail du XIIIe siècle qui représente saint Denis, saint Laurent, deux apôtres et une Vierge à l'enfant. Au tympan le couronnement avec la dormition et l'inhumation de la Vierge.

Non loin du sanctuaire jaillissait une source d'eau fraîche visitée par les pèlerins ; elle est actuellement canalisée par une belle fontaine avec vasque.

ETAMPES est restée la ville qui s'étend en longueur comme au Moyen Age ; beau portail roman de Saint-Basile, statues colonnes mutilées de Notre-Dame du Fort, tour penchée de Saint-Martin, mais les regards devaient aller vers la tour Guinette. C'est dans cette tour que Philippe-Auguste fit enfermer sa femme Ingeburge de Danemark durant douze ans. Il l'avait épousée sans amour, croyant qu'elle pouvait prétendre au trône d'Angleterre, et très vite répudiée ; il épousa Agnès de Méranie qu'il aimait, mais Ingeburge en appela au Pape Innocent III. Le capétien fut obligé de renvoyer Agnès, qui mourut de chagrin, et de reprendre la Danoise. Il se vengea en l'enfermant... Quelle méditation sur l'intérêt qui mène le monde...

Mais voici la Loire...

Blonde peu sûre, aux longs sommeils, aux réveils fous.
Sa câline langueur dort sur les sables roux... (1)

ORLÉANS, c'est l'antique Genabum ; en 52 avant J.-C., c'est de là qu'est parti le mouvement qui voulut libérer la Gaule de l'occupation romaine. Mais Orléans, c'est aussi saint Aignan qui sauva la ville en 451, car voyant les Huns arriver, il était allé jusqu'à Arles demander secours à Aétius, chef de la légion romaine. Celui-ci avait promis de venir s'il y avait danger, et il tint parole.

On éleva sur le tombeau de saint Aignan une première église dont il ne reste plus rien. Puis Robert dit le Pieux en fit élever une autre dont il reste la crypte. Cette crypte a gardé ses voûtes robertines, et la découverte en 1955 de chapiteaux enrobés dans de la maçonnerie a posé de nombreuses questions. Ce n'est pas Daniel dans la fosse aux lions, cet homme nu, les jambes

_____

(1) Jules Lemaitre.

croisées, avec un animal de style félin auprès de lui... Le style de ce chapiteau est d'un modernisme étrange.

L'actuelle cathédrale Sainte-Croix, dont le chœur est du XIIIe et la façade du XVIIIe, possède encore visibles ses fondations du IVe siècle ; on a retrouvé dans les fouilles des poteries noires romaines de cette époque ainsi que le plan de l'église du XIe siècle, contemporaine de Saint-Sernin de Toulouse et de Saint-Jacques de Compostelle.

Dans la « Chanson de Roland », on parle de l'arc de saint Mamert en l'église Sainte-Croix où l'amoureux pèlerin (Gérard de Roussillon) dit « au revoir » à sa bien-aimée et lui donne au retour rendez-vous sous l'arc...

Mais il y avait aussi la chapelle Saint-Jacques dont les restes ont été remontés dans le jardin de l'Hôtel de Ville et dont la coquille rappelle le passage des pèlerins.

Les Jacquaires alors ne pouvaient pas savoir qu'un jour :

Une enfant qui menait son cheval vers le fleuve
Son âme était récente et sa cotte était neuve... (1)

allait laisser à la ville d'Orléans le plus impérissable des souvenirs...

SAINT-BENOÎT-SUR-LOIRE. — D'Orléans, le Guide indiquait de faire un crochet et de remonter la Loire jusqu'à l'ancienne abbaye de Fleury fondée en 651, et qui prit le nom de Saint-Benoît lorsqu'elle reçut les reliques de ce saint ramenées du mont Cassin par les moines de Fleury.

Le porche, œuvre de l'abbé Gauzlin, servit de modèle à d'autres constructions similaires dont nous aurons l'occasion de parler ; mais son inspiration viendrait de la tour d'entrée de Saint-Martial de Limoges dont malheureusement il ne reste rien. Le troisième étage de cette tour fut supprimé sur l'ordre de François Ier, les abbés n'ayant pas voulu reconnaître le Chancelier Duprat comme abbé commendataire. Ces abbés commendataires, à part de rares exceptions, furent la plaie des abbayes au XVIe siècle.

_____

(1) De Charles Péguy, natif d'Orléans.

Deux exemples de chapiteaux du porche : chapiteau roman de la fuite en Egypte, chapiteau stylisé avec animaux.

La nef longue de trente-sept mètres reflète les hésitations de la transition romano-ogivale.

Les chapiteaux de la chapelle Saint-Michel sont les plus anciens, cette chapelle est située au premier étage de la tour, les colonnes engagées se terminent par des décorations très burlesques.

CLÉRY, c'est Louis XI. Il avait fait préparer son tombeau et celui de sa deuxième femme, Charlotte de Savoie, dans l'église qu'il avait fait construire, ayant un culte tout particulier pour la Vierge de Cléry. Au côte sud, dans l'église, a été édifiée une chapelle renaissance ornée de coquilles, de bourdons et de panetières et consacrée à saint Jacques.

Le Beau Dunois, le Bâtard d'Orléans, le compagnon de Jeanne d'Arc, y est aussi enterré dans une chapelle dite de Longueville, dont la voûte a ses ogives en forme d'Y.

A BLOIS, l'arrêt était prévu chez les Bénédictins de l'abbaye Saint-Laumer. Aujourd'hui l'hôpital de style classique remplace des constructions médiévales, mais en cherchant bien on retrouve encore une galerie de cloître, des celliers et des greniers.

TOURS. — Cette ville possédait le sanctuaire qui fut pour nos ancêtres ce que le temple de Delphes fut pour les Grecs.

Saint Gatien y introduisit le christianisme au IIIe siècle et la cathédrale porte son nom. La façade occidentale présente une extraordinaire décoration de pierre plaquée sur la façade du XIIe. Dans une des chapelles sont enterrés les enfants de Charles VIII et d'Anne de Bretagne. Le cloître de la Psalette restauré possède une belle tourelle d'escalier à jour construite en 1524. Les habitations décrites par Balzac dans *Le Curé de Tours* ont disparu, mais il reste les « moucharabieh » d'influence arabe qui ornent la façade de l'ancienne bibliothèque.

Un recensement a prouvé que le nom le plus répandu pour les villages de France était saint Martin. Ce saint est né en 316 dans le pays qui s'"appelle maintenant la Hongrie. Son père l'appela « Martin », ce qui signifiait le Petit Mars. Fils d'officier, il vint en Gaule. On connaît l'histoire du partage du manteau à la porte de la ville d'Amiens durant l'hiver 338-339. Couper un manteau avec une épée ne devait pas être très facile et je me suis souvent demandé pourquoi Martin n'avait pas donné son manteau en entier. Depuis je me suis renseignée : il était interdit à un soldat de ne pas rapporter la moitié de tout ce qui lui avait été confié.

Un songe qu'il fit la nuit de sa charité le décida à quitter l'armée. Il alla à Trèves où il entendit parler de Hilaire, évêque de Poitiers. Il partit lui demander conseil. Et à huit kilomètres de cette ville il fonda à Ligugé sur les bords du Clain un premier monastère stable. Les moines revenus ont fait des fouilles et ont mis à jour des parties qui dateraient de la fondation en 360.

Martin est nommé de force évêque de Tours, mais, ne voulant pas quitter son genre de vie, il se retira à deux kilomètres dans une grotte qui avait déjà été choisie au moment des persécutions par saint Gatien.

C'est MARMOUTIER (« Majus Moustier », le plus grand monastère). La règle conventuelle était la même que celle du premier monastère de Ligugé. Petit détail intéressant : saint Martin fut le premier à introduire en France la culture de la vigne. Son âne broutait les jeunes pousses ; or, après cette mutilation involontaire, la treille devenait très productrice. Les Touranreaux comprirent vite les bienfaits de la taille. Le successeur de Martin, saint Brice, fonda l'abbaye de Saint-Martin de Tours dont il ne reste que deux tours, tour de l'Horloge et tour de Charlemagne, et la galerie occidentale du petit cloître qui est une très belle œuvre posthume de la Renaissance. Malheureusement de cette église qui fait partie de ce cousinage architectonique [ad similitudinem ecclesiæ beati Jacobi], il reste peu de choses pour évoquer les splendeurs passées...

Saint Martin mourut à Candes au confluent de la Loire et de la Vienne. Les moines de Ligugé et ceux de Marmoutier vinrent le veiller. Les premiers s'endormirent et les seconds en profitèrent pour passer le corps par la fenêtre, et dans une barque l'amenèrent solennellement à Tours. Une fresque dans l'église de Nohant-Vic relate cet épisode.

Saint Brice est le patron de ceux qui ont mauvais caractère ;

il vint faire son « Mea Culpa » à Marmoutier où saint Léobart (Libert) creusa lui-même une fosse de quatre mètres pour y être enterré debout. Il pensait qu'il était préférable au moment du jugement d'être dans cette position...

CHARTRES. — Ceux qui ne prenaient pas la route conduisant à Orléans passaient par Chartres et de loin contemplaient « la flèche irréprochable » ; puis ils allaient prier Notre-Dame-sous-Terre, où les troublait la fresque, malheureusement très effacée, qui montre saint Gilles reprochant à Charlemagne la faute qu'il n'ose pas dire en confession... (crypte).
Mais ce sont certains vitraux du chœur de la Cathédrale que les pèlerins devaient longtemps contempler : Charlemagne y est couché, un ange à côté de lui désigne les guerriers en arroi et, de l'autre main levée, lui montre les étoiles pressées de cette voie lactée appelée chemin de saint Jacques. Charlemagne a obéi, il a suivi l'étoile et repoussé les Maures...

VENDÔME possède l'église de la Trinité qui était une célèbre abbaye fondée en 1034 par Geoffroy Martel et qui possède en heureuse synthèse tous les styles du xie au xvie siècles. Son admirable clocher fut le prototype du clocher vieux de Chartres. La Trinité possède de beaux vitraux dont le plus célèbre est la précieuse Vierge-Mère de 1150 environ qu'on doit comparer à Notre-Dame de la Belle-Verrière de Chartres. La partie centrale est seule ancienne, l'entourage est moderne.
Du xvie siècle : un saint Jacques entre un saint Michel et... je ne sais plus si je dois dire désormais un saint Georges, puisque ce dernier n'a jamais terrassé un dragon. Un saint Blaise et surtout un saint Sébastien percé de flèches alors qu'une seule eut suffi pour le tuer ont... j'allais dire beaucoup de charme...
Le lycée occupe l'emplacement d'un ancien hospice Saint-Jacques ; la chapelle reconstruite au xvie garde son mur nord du xiie et un vitrail très mutilé. C'est au lycée de Vendôme que Balzac fit ses études ; il était souvent en punition dans une tour... où il dévorait en lecture tout ce qu'il trouvait... (1)

---

(1) Une vieille maison de Vendôme, « Au grand saint Martin », porte encore, sculptés sur sa façade, un saint Martin et un saint Jacques.

Sur un côté du Loir se dressent les ruines du château de LAVARDIN. Elles appartenaient à la couronne et comptent parmi les plus belles de France. En face se dressent celles du château de MONTOIRE avec, à leurs pieds, le prieuré Saint-Gilles dépendant de l'abbaye d'Anille, aujourd'hui Saint-Calais. La dévotion au saint avait été apportée par les pèlerins venant de Provence (Saint-Gilles-du-Gard, dont nous parlerons sur le trajet de la quatrième route).

L'église date du XIᵉ siècle, il ne reste plus que le chœur et le transept ; Pierre Ronsard y fut prieur avant d'être celui du prieuré Saint-Cosme où il mourut.

A l'intérieur, statue de saint Gilles. Athénien de noble famille, il avait fui le monde et vivait comme un ermite en Provence dans une grotte, nourri par une biche. Le roi du pays allant à la chasse poursuivit la biche qui se jeta contre saint Gilles et c'est lui qui fut blessé.

Mais la beauté de la chapelle réside dans ses fresques. A l'abside est un Christ roux aux longs cheveux, la barbe a disparu ; vêtu d'une tunique blanche, assis sur un coussin vert, de la main droite il bénit, de la gauche il tient le livre des sept sceaux. Il est dans une double mandorle ; très haut derrière la tête, le nimbe crucifère. Autour des mandorles le symbole des quatre évangélistes ; des anges décrivent de gracieuses arabesques en soutenant les mandorles. Le Christ apparaît ici en juge de la vision apocalyptique, mais ces anges, qui ont l'air de pousser vers le haut les mandorles, nous font évoquer l'Ascension. D'ailleurs n'est-il pas dit au passage des Actes : « Ce Jésus que vous avez vu parmi vous reviendra de la même manière que vous l'avez vu s'élever au ciel. »

A l'abside sud, c'est bien le Christ avec la barbe et les caractères de sa race. Il tenait dans sa main des clés qu'il devait remettre à saint Pierre. On a découvert, dans la partie est, une fresque qui peignait saint Laurent sur son gril et les noces de Cana. De l'autre côté, une tête d'évêque et une de femme. Au XIVᵉ siècle on avait superposé une trinité que Jorand a fait disparaître en 1841. Cette deuxième fresque très byzantine évoque une mosaïque comme celle de l'abside nord.

Du même côté que Montoire sur la route en allant vers le pittoresque village de TRÔO, dont le clocher de l'église Saint-Martin attire tous les regards, apparaît la belle façade romane percée de fenêtres en plein cintre de la Maladrerie Sainte-Catherine qui était un hôpital pour les pèlerins.

En face de Trôo : SAINT-JACQUES-DES-GUÉRETS. Bien entendu l'église est dédiée à ce saint ; elle possède une fresque vraisemblablement du XIIIe siècle, qui doit en recouvrir une autre plus ancienne du XIIe, et qui relate le martyre du saint en l'an 44. Le bourreau a une tunique courte ; Hérode Agrippa I assis croise une jambe, ce qui, paraît-il, était signe de puissance... Comme nous sommes tous puissants aujourd'hui !...

Dans l'église une statue en bois du XVe montre le saint qui a, avec le temps, perdu son bourdon...

Avant de reprendre la route qui va rejoindre Tours pour suivre ceux qui passaient par Chartres, il faut, au nord de Montoire-Lavardin, aller voir ce qui reste de LA CHAPELLE RUPESTRE DE SAINT GERVAIS. C'est une chapelle creusée dans le tuffeau comme on en rencontre en Cappadoce. A la porte, un saint Jacques mutilé. On y a découvert en 1937 d'intéressantes fresques qui, nettoyées, ont été reproduites en partie à la section « Peinture Murale » de notre Musée des Monuments français, l'un des plus importants de Paris. On y voit deux pèlerins, les mains jointes, qui font un mouvement de génuflexion vers un personnage, sans doute le Christ, qui les bénit. Les pèlerins portent grand chapeau, panetière et bâton. Plusieurs coquilles se détachent sur le fond du tableau. Mais c'est au musée qu'il vous faudra maintenant voir cette représentation car l'original de la grotte a disparu...

Reprenons la grande route et arrêtons-nous à SAINTE-CATHERINE-DE-FIERBOIS. [Ferus boscus : le fier bois.] Souvenir de l'épée que Jeanne d'Arc fit chercher en l'église. D'où venait-elle ? De Charles Martel, de Godefroy de Bouillon, roi de Jérusalem, ou d'un simple croisé ? Elle a emporté en disparaissant, le secret de son origine...

Une aumônerie destinée à recevoir les pèlerins et les pauvres, à les héberger et à les soigner, fut créée à la fin du XIVe siècle. On enterrait dans le petit cimetière attenant « tous ceux qui y trépassaient et décédaient ». Les façades conservent encore des traces de baies.

L'église de SAINT-MAURE-DE-TOURAINE conserve une intéressante crypte avec arcatures romanes dont certains chapiteaux sont très archaïques.

Tout bon jacquaire allait prier en l'église de CHATELLERAULT (très défigurée de nos jours) saint Jacques vêtu en pèlerin dont l'ornement est fait de coquilles abondant sur le chapeau et la pèlerine...

Enfin venait POITIERS, étape très importante et riche en souvenirs.

Mais il est conseillé de passer par SAINT-JOUIN-DE-MARNES. Ce long navire ancré dans la campagne, dont le chevet et le transept sud avaient été fortifiés, opposa sa force équilibrée au défi du donjon de Moncontour toujours debout ; c'est dans ce vallon qu'eut lieu la victoire du duc d'Anjou, le futur Henri III, sur Coligny en 1569. La très belle façade de l'ancienne abbaye bénédictine attire à juste titre nos regards. Elle est du plus pur roman poitevin. Son thème est le retour au Christ avec une frise représentant le Jugement dernier.

A PARTHENAY, charmante petite ville ancienne, la magnifique porte Saint-Jacques du XIIIᵉ. flanquée de deux tours en éperons à mâchicoulis, se dresse à l'entrée du vieux pont sur le Thouet.

POITIERS. — Revenons à Poitiers. Cette ville possède un baptistère chrétien daté environ du VIᵉ siècle. C'est, avec la célèbre crypte de Jouarre et l'oratoire de Saint-Oyant de Grenoble, l'un des trois plus anciens monuments chrétiens de France. On voit encore, au centre de la « cella » primitive, la piscine octogonale où l'on descendait par des degrés et qui servait aux baptêmes par immersion. Une fresque représente, sur un cheval de belle allure, un magnifique cavalier couronné, vêtu d'un long vêtement jaune et d'un manteau gris bleu flottant derrière lui. Surmontant l'encolure encore visible du cheval, une inscription livre le nom du cavalier : Constanti(nus).

Constantin avait remporté sur son rival Maxence, en 312, la célèbre bataille du pont Milvius sur le Tibre ; en 313, il signait l'Edit de Milan qui laissait libre l'exercice de la foi catholique ; il était le premier empereur chrétien et à Rome, devant le Latran (1), les pèlerins du Moyen Age s'obstinaient à voir dans la statue équestre de Marc-Aurèle celle de Constantin. Mais nous retrouverons ce cavalier en Saintonge et même en Espagne.

La première visite était pour le tombeau de saint Hilaire. Hilaire était d'origine païenne, se maria, eut une fille. Plus tard il se convertit et devint évêque de Poitiers ; sa fille, elle-même convertie, devait devenir sainte Abre. Il combattit les ariens avec une telle force qu'il fut exilé en Asie Mineure. Il fut rappelé parce que son exil avait été encore plus néfaste en Asie Mineure pour les Ariens qui y possédaient un grand centre. C'est lui que saint Martin rencontra, qui devint son conseiller et son ami. Il mourut à Poitiers en 367.

On retrouve à l'intérieur de l'église les caractéristiques de l'école romane poitevine avec les nefs des bas-côtés très hautes et donnant ainsi l'éclairage à la nef principale. Bien entendu l'édifice a été restauré.

On est tout de suite frappé par la richesse de la décoration du portail de Notre-Dame la Grande. L'appel du livre de pierre qui commence au tympan va couvrir dans cette école de l'ouest les façades entières.

C'est Notre-Dame de l'Incarnation qui amènera dans la mandorle l'Ascension du Christ, car pouvait-on mieux honorer la mère qu'en montrant son fils s'élevant triomphalement dans le ciel ?

L'intérieur a malheureusement été repeint en 1851. Huysmans traitait ces peintures de tatouages de vieux sauvages tombés en enfance. Les couleurs sont en effet beaucoup trop vives.

Au portail nord de l'église Saint-Hilaire de MELLE figure le fameux cavalier Constantin dont nous avons déjà parlé au baptistère Saint-Jean de Poitiers. Nous le retrouvons à l'église SAINT-PIERRE DE CHATEAUNEUF-SUR-CHARENTE sur la façade ouest. Est-ce vraiment Constantin ?

Le jour de la bataille de Clavijo, en 844, alors que le courage abandonnait les combattants et que les Maures allaient être vainqueurs, dans le ciel, sur un cheval blanc, apparut le « Fils du Tonnerre », le « Matamore », « Il Barone », comme l'appelle

---

(1) Michel-Ange l'a fait transporter sur la place du Capitole.

Dante dans son *Paradis,* où il lui fait commenter la vertu d'Espérance. Un vitrail de Notre-Dame-en-Vaux de Châlons-sur-Marne évoque cette vision, et c'est la raison pour laquelle, tout le long du « camino frances », le cavalier qui combat l'hérésie à ses pieds deviendra « Santiago Matamoros », le patron de la Reconquête.

C'était généralement après une journée de marche à l'heure où se couchait le soleil que les pèlerins arrivaient devant la façade resplendissante de SAINT-PIERRE D'AULNAY, DIT A TORT EN SAINTONGE.

L'église se dresse au milieu du champ de la mort et le cyprès, symbole de l'immortalité de l'âme, garde son feuillage toujours vert. C'est la bienheureuse halte où l'œil peut admirer tant de beauté extérieure.

L'église fut construite vers 1150-1170 ; à la façade ouest, au-dessus du portail central, quatre voussures : la première relate le thème de l'Agneau, la seconde la lutte des vices et des vertus, la troisième la parabole des vierges sages et des vierges folles, et la dernière les signes du zodiaque et les occupations des mois. Nous retrouverons les trois premières évocations dans presque toutes les voussures des églises de Saintonge.

Au-dessus une grande arcade aveugle abritait autrefois le « Cavalier » dont nous avons déjà longuement parlé.

A gauche, l'arcade aveugle a dans son tympan la représentation du martyre de saint Pierre, à qui l'église est dédiée ; il a été crucifié la tête en bas, ne voulant pas être dans la même position que le Christ par humilité. A droite, le Christ en majesté entre la Vierge et saint Jean. L'ensemble paraît s'inspirer de quelque pièce d'orfèvrerie.

Le chevet de l'église possède une fenêtre centrale décorée avec autant de soin qu'un portail. Des personnages sont pris dans des entrelacs ; tout est sculpté en méplat selon la technique des coffrets d'ivoire et rappelle les tissus orientaux...

Le transept sud montre à l'angle son faisceau de colonnes fines, et ses voussures en plein cintre déploient toutes les splendeurs de l'Orient. Dans la troisième voussure, les vieillards de l'apocalypse. La vision parle de 24 mais, comme il y a 31 claveaux, ils sont 31 assis de face et portant un vase à parfum ou un instrument de musique. Dans la dernière voussure, tout le bestiaire est réuni rappelant l'Orient, et Emile Mâle nous en donne l'explication : « Pour nous qui savons mieux l'histoire, nous ne jugeons pas risibles les monstres de nos chapiteaux ; ils nous paraissent au contraire merveilleusement poétiques, chargés, comme ils le sont, des rêves de quatre ou cinq peuples qui se les transmirent les uns aux autres pendant des milliers d'années. Ils introduisent dans l'église romane la Chaldée et l'Assyrie, la Perse des Achéménides et la Perse des Sassanides, l'Orient grec et l'Orient arabe. Toute l'Asie apporte ses présents au christianisme comme jadis les mages à l'Enfant. »

A l'intérieur, la ligne verticale domine et c'est la nudité. L'église est romane, couverte de voûtes en berceau fortement brisées ; au centre, les écoinçons se développent en pendentifs au-dessus desquels monte une coupole ornée de huit tores qui viennent buter sur le bord de l'oculus du clocher.

Quiconque est épris de beauté devrait venir, fût-ce une seule fois, la contempler ici...

Il ne reste rien de la célèbre abbaye de Saint-Jean-d'Angély entièrement détruite par les calvinistes. On y vénérait « le chef de saint Jean Baptiste ». A Damas, à l'emplacement de la mosquée des Omayyades existait, paraît-il, vers 400 une basilique chrétienne qui contenait la tête de saint Jean Baptiste. On raconte également que, vers 1206, au retour de la quatrième croisade, ce même chef fut rapporté de Constantinople et mis solennellement dans la cathédrale d'Amiens. La tête a pu venir de Damas à Constantinople mais être au même endroit dans deux villes de France, cela me laisse songeuse, à moins qu'elle n'ait été coupée en deux morceaux...

La question des reliques n'est pas une question dogmatique ; elles avaient au Moyen Age plus de valeur que de nos jours, l'esprit a dû apprendre à planer au-dessus de la matière...

L'Archange saint Michel, qui voulut qu'un sanctuaire lui fût consacré dans une grotte du Mont Gargan, au-dessus de l'Adriatique, désira également être vénéré au Mont-Tombe, seul survivant de cette mystérieuse forêt sur laquelle passent maintenant barques et navires...

Fidèle au Roi de France, même durant la guerre de cent

ans, le mont vit défiler de nombreux pèlerins depuis le jour où Charlemagne avait proclamé l'Archange patron de son Empire. Parmi les « Miquelots », certains devenaient « Jacquaires » et partaient du Mont pour descendre vers le sud.

Les pèlerins ne pouvaient ne pas s'arrêter sur le tombeau de SAINT PHILIBERT, dans l'abbaye carolingienne qui porte ce nom.

Philbert ou Philibert vécut au VIIe siècle. Ami de saint Ouen, évêque de Rouen, et de saint Léger, il fonde Jumièges en Normandie. Ennemi d'Ebroîn, mal défendu par saint Ouen, il doit s'exiler et va fonder une abbaye dans l'île de Noirmoutier, où il mourut.

Les moines de Noirmoutier avaient un domaine agricole en terre ferme, mais, devant le péril normand et l'insécurité de l'île, « l'Abbaye d'été » devint leur séjour et le corps de saint Philibert y fut déposé. Mais pour préserver la dépouille de leur fondateur, les moines de Noirmoutier se firent moines errants et allèrent jusqu'à Tournus en Bourgogne, en passant par Cunault dans le Maine-et-Loire et Saint-Pourçain en Auvergne.

Après le pillage par les Normands, en mars 847, l'église fut rebâtie. Voici ses robustes piliers, allégis en glacis vers le haut et donnant, de ce fait, cette curieuse courbure d'apparence en fer à cheval, pas ignorée du reste de la technique carolingienne. Partout la brique se marie à la pierre blanche : deux briques, une pierre.

Non loin, le lac de Grand-Lieu fort apprécié des pêcheurs...

En descendant dans le bocage vendéen, les pèlerins passaient par les Herbiers ; à dix kilomètres de là existait L'ABBAYE DE LA GRENETIÈRE. C'était devenu une ferme. De l'église il ne reste que trois magnifiques absidioles qui se dressent à la lisière des champs comme des tours et qui témoignent de l'importance que pouvait avoir cette abbaye. Du cloître roman aux colonnes géminées, il ne reste qu'une aile. L'abbé Prévost aurait écrit « Manon Lescaut » dans cette abbaye, qui ne devait pas évoquer pour lui Saint-Sulpice...

POUZAUGES-LE-VIEUX rappelle par son site quelque passage de l'Ombrie... Dans une modeste église, une fresque fin XIIe début XIIIe attirera notre regard, car c'est une peinture d'un aspect exceptionnel qui ne permet aucun rapprochement avec d'autres œuvres. Marie est présentée au Temple ; les évangiles apocryphes racontent que la Vierge enfant passait ses journées dans le Temple ; le sujet suivant montre Marie devant l'autel. Une colonne peinte en faux marbre destinée à supporter le doubleau de la voûte limite la scène vers l'est. Au-dessus de ce registre court une frise composée de doubles grecques interrompues de place en place par des monstres ou des animaux de fantaisie. Enfin un bandeau où sont figurées les occupations des mois couronne l'ensemble.

La forêt de VOUVANT très accidentée, couvrant plusieurs collines rocheuses, traversée par plusieurs rivières ou cours d'eau, s'étend sur près de 2 300 hectares ; elle est très pittoresque et ses rochers abrupts, ses collines, ses sites remarquables l'ont fait surnommer « La Suisse Vendéenne ». C'est là que vivait Mélusine qui fit Lusignan, Vouvant, Mervent, la Tour de Saint-Maixent, mais que son mari, Raimondin, ne devait jamais voir le samedi : ce jour-là, ses jambes se transformaient en queue de serpent. Un samedi, poussé par la jalousie, Raimondin voulut voir son épouse... et jamais plus ne revit Mélusine...

Du château il reste la Tour qui porte son nom.

Les Seigneurs de Longueville furent les châtelains de Vouvant et nous savons que Dunois fit exhausser le portail monumental de l'église. Le mur fut surélevé et, comme il était en l'air, on établit de chaque côté, pour le soutenir, les deux faisceaux de colonnes qui empiètent légèrement sur les sculptures de la partie romane.

Au-dessus des deux portes figure un thème fréquent dans l'ouest : à gauche, Dalila coupe les cheveux de Samson durant son sommeil, et à droite, Samson terrasse le lion.

On ajouta une Vierge auréolée de style flamboyant et un saint Jean-Baptiste tenant l'Agneau ; les gens de Vouvant assurent que c'est la seule statue authentique qui existe du beau Dunois...

Dans la crypte de l'église, gisant de Geoffroi à la Grand'Dent. Pourquoi ce surnom donné à Geoffroi II qui vécut au XIIIᵉ siècle ? Était-il affligé d'une dent proéminente qui le défigurait ? Ou sa cruauté, ses exploits fameux de soudard en furent-ils la cause ? Nous reparlerons de lui un peu plus loin.

Autrefois en pleine forêt de Vouvant existait un petit bourg nommé FOUSSAIS. Un prieuré dédié à saint Hilaire (en grande vénération dans le Poitou) qui dépendait de Bourgueil, abbaye bénédictine fondée sur les bords de la Loire, y avait été établi.

De l'église primitive il ne reste que la partie intérieure de la façade occidentale qui mérite notre attention soutenue.

La baie aveugle, au nord, abrite la déposition de croix signée « Ravdvs avdebertus dsco iohe angeriaco me fecit » que l'on peut lire ainsi : « Giraud Audebert de Saint-Jean d'Angely m'a fait. » Le Christ est encore attaché à la croix par un clou dans la main gauche. La Vierge, pieds nus, tient dans ses mains voilées le bras droit de son fils ; Joseph d'Arimathie est prêt à le recevoir ; Nicodème, décapité aujourd'hui, devait arracher le dernier clou ; saint Jean est à côté de lui. Au sommet le soleil et la lune, entre lesquels un ange se précipite des cieux pour poser le nimbe crucifère sur la croix.

Cette composition datée du dernier quart du XIIᵉ siècle est assez rare à cette époque. Elle existe au cloître du monastère de Santo Domingo de Silos, de Santillana del Mar en Espagne, et au tympan de Sainte-Marie-d'Oloron.

Dans l'arcade aveugle du côté sud sont représentées deux scènes : le repas chez Simon et le « Noli me Tangere ». Il faut noter dans ces représentations la simplicité et la vérité des gestes, la noblesse des attitudes.

Non loin de Fontenay-le-Comte s'élevait L'ABBAYE ROYALE SAINT-VINCENT fondée au XIᵉ siècle en l'honneur du diacre martyrisé à Saragosse en 304. Une tradition rapporte qu'à Nieuil-sur-l'Autize (Nieuil paraît conforme à l'étymologie Novioialos : nouvelle clairière, qui a donné « Niolium » gravé sur le sceau du chapitre), en 1122, Aénor de Châtellerault mit au monde Eléonore d'Aquitaine.

Aénor ne cessa de témoigner son attachement à l'abbaye et y fonda sa sépulture. Devenue reine de France, Eléonore y amena son époux Louis VII sur le tombeau de sa mère. Plus tard divorcé d'Eléonore d'Aquitaine, Louis VII, qui avait manqué sa deuxième croisade en Palestine, remarié avec Constance de Castille, et devenu gendre d'Alphonse VII, ira à Compostelle et repassera par Nieuil.

Dans tout l'Ouest, c'est le cloître sous bâtiments le mieux conservé. Ses arcades en arc brisé, à arêtes vives ou moulurées, s'appuient sur de forts piliers flanqués de colonnes jumelées

et de contreforts-colonnes sur la cour. La décoration des chapiteaux est très sobre.

Sur le côté est s'ouvre la belle salle capitulaire. A l'extrémité
est se trouve l'escalier qui conduit au dortoir et aux bâtiments
de l'étage.

Nous sommes maintenant en plein marais poitevin et nous
ne devons pas oublier que ce sont les moines, au Moyen Age,
qui asséchaient les lieux et construisaient des routes afin que
les pèlerins puissent circuler. Un canal de onze kilomètres
porte encore le nom de Canal des Cinq Abbés.

Un monastère a été édifié à MAILLEZAIS, dans une île, fragment de la plaine calcaire. Il en reste une imposante ruine
avec l'avant-corps ou église-porche de l'ouest et le mur nord.
C'était une église à tribune dont les trois dernières travées
avant le transept avaient été refaites à l'époque gothique avec
le transept. Nous allons y retrouver notre Geoffroy de Lusignan
dit Geoffroy la Grand'Dent qui y fit mettre le feu. « Geoffroi
était allumetier », ainsi parlait Rabelais dans son *Pantagruel*.
En effet Maillezais devint cathédrale et l'évêque d'alors était
ami de Rabelais qui était moine à cette époque en ce lieu. On
dit même qu'au XVIᵉ siècle le tombeau du dit Geoffroy était
dans l'église abbatiale, et non à Vouvant.

Au moment des guerres de religion Maillezais devint une
place forte ; Agrippa d'Aubigné en fut gouverneur.

La façade de l'église de SURGÈRES, enclose dans une vaste
enceinte fortifiée, est une des plus belles de la région. Mérimée
l'a vantée et n'a pas craint de dire qu'on pourrait l'admirer
« même en revenant d'Italie ».

A l'une des portes on peut voir des éléphants et au-dessus
des besants importés vraisemblablement de Palestine par les
Croisés. Le clocher, de plan octogonal présente seize ouvertures
et seize massifs de colonnettes encadrant des ouvertures très
allongées, sous un petit arc en plein cintre.

A l'ombre de l'ancien château on cherche en vain les roses
d'Hélène de Surgères chantée par Ronsard, Hélène qui ne se
maria pas et vint finir ses jours près de son frère.

Vivez, si m'en croyez, n'attendez à demain
Cueillez dès aujourd'hui les roses de la vie...

Nous avons retrouvés les Jacquaires qui étaient arrivés à Saint-Jean-d'Angély par la voie directe. Dans la Saintonge les pèlerins avaient, paraît-il, le choix entre trois cent soixante-cinq églises pour faire leurs dévotions. Il n'est pas un hameau, pas un village qui ne possède son chef-d'œuvre ; c'est le pays baigné « par la lumière de l'Annonciation », a dit René Benjamin.

Tout y reflète l'influence orientale, que celle-ci provienne du Proche ou de l'Extrême-Orient, eux-mêmes évidemment reliés entre eux.

Rosaces, denticules, damiers, billettes, têtes de clous, bâtons rompus, dents de scie, étoiles, chevrons, fleurs à pétales, tores, canelures, moulures nattées, entrelacs, imbrications, losanges, perles et méandres se retrouvent tous en Proche-Orient.

Il faudrait au moins une semaine pour goûter pleinement ce qu'a écrit Emile Mâle : « Nulle part en France, l'art roman n'a connu plus de séduction. » Je me contenterai donc de citer quelques points marquants avec l'amer regret de ne pas pouvoir parler de tous.

En descendant vers Saintes, à l'est : MATHA possède deux églises, l'une dont l'abside est intéressante et l'autre, Saint-Hérie, montrant une façade particulièrement remarquable avec sa belle statue de sainte Blandine.

Mais voilà surtout, près de Cognac, à un kilomètre de Saint-Brice, au bout d'un petit chemin de terre (qu'il est conseillé de faire à pied) une ancienne abbaye, relais extrêmement important des pèlerins : CHATRES OU CHASTRES. Il en reste l'arc polylobé (que nous retrouverons tout le long de la route espagnole) surmonté de deux arcatures superposées. Elle appartenait au groupe des églises à coupoles du Périgord. C'est maintenant une grange et il est préférable de ne pas y entrer car la couverture est peu sûre. C'est un pur chef-d'œuvre de l'art roman perdu dans la verdure.

Non loin de là un dolmen.

Revenons à l'ouest, au sud de Rochefort. Au bord d'un immense marais la petite église D'ECHILLAIS présente sa façade de joaillerie. La porte centrale a perdu sa quatrième voussure ; au-dessus du portail l'arcature de neuf arcs surhaussés évoque l'ordonnance des aqueducs romains. Mais à gauche du magnifique portail un chapiteau a fait beaucoup parler de lui. C'est le « Grand'Goule », monstre fabuleux, dévoreur insatiable (jusqu'à la colonne) des esprits maléfiques. On a dit que c'était le célèbre T'ao T'ié ou Glouton de la Chine antique, stylisation astronomique du Dragon qui est figuré entouré de méandres sur presque tous les bronzes depuis 1800 avant J.-C. Nous le voyons encore à Fénioux, Bords, Chadenac, et certains assurent que cette influence vient de l'Extrême-Orient.

Pour mon compte je n'y vois qu'un thème décoratif à la fois fantastique, amusant et assez répondu puisque je le retrouve à Cunault en Anjou et à Cambronne-lès-Clermont dans l'Oise.

Non loin d'Echillais se dressent les ruines imposantes de l'ancienne ABBAYE DE TRIZAY, relais important des Jacquaires. C'est maintenant une ferme. Le cloître a disparu mais il reste les splendides arcatures de la salle capitulaire, composées de six arcs polylobés avec des motifs d'étoiles et de besants.

A FENIOUX tout est beau : le site au fond d'une vallée perdue, le clocher, les deux portails et non loin de là la lanterne des morts.

Ancienne voie romaine : nous retrouvons des moellons de petit appareil dans les murs de l'église, qui sont certainement romains.

La façade occidentale au vigoureux relief a un large et riche portail à cinq puissantes voussures entre deux épais contreforts d'angles allégés par deux faisceaux de sept colonnes.

Le portail latéral nord a trois voussures en plein cintre dont les motifs sont des feuillages en volutes encadrant fleurs à pétales et étoiles. Sur le chapiteau central « le dit glouton ». Les murs latéraux sont préromans, et l'on y découvre encore trois « fenestellae » dont deux sont complètes, l'une légèrement masquée par l'un des lourds contreforts romans.

La lanterne des morts de Fenioux est une des plus belles de cette région. Elle est formée de onze colonnes accolées surmontées de treize autres et coiffées d'une pyramide. On dit que la lumière filtrant entre les colonnettes représentait le Christ ressuscité au matin de Pâques ; les onze colonnettes seraient les apôtres, Judas s'étant déjà pendu. Je pense que toutes ces allusions devaient circuler de bouche en bouche parmi la foule de ceux qui venaient en ces lieux...

Carte des routes principales et secondaires
vers Saint-Jacques de Compostelle.

ORLÉANS : restes de l'ancienne chapelle Saint-Jacques : deux coquilles caractéristiques.

TOURS : cloître de la Psalette ; moucharabieh de la façade de l'ancienne bibliothèque.

BLOIS : restes du cloître de l'abbaye Saint-Laumer.

Je ne peux pas ne pas parler de la très belle façade de l'église
de PONT-L'ABBÉ-D'ARNOULT. Elle s'élève sur un soubassement,
un peu alourdie par les imposantes colonnes engagées qui la
divisent. Trois d'entre elles paraissent avoir fait l'objet d'un
remploi ; les cannelures et les palmettes ornant leurs fûts tra-
hissent leur origine gallo-romaine.

Les quatre voussures de la porte principale sont d'une beauté
incomparable. Thème de l'agneau, psychomachie du texte de
Prudence, saints et saintes qui ont vaincu l'esprit du mal,
et parabole des vierges sages et des vierges folles. Malheureusement les tympans centraux n'existaient pas dans cette province ; celui de Pont-l'Abbé-d'Arnoult est une création récente
et ses sculptures nuisent par leur maladresse à l'admirable
iconographie du reste.

Le tympan sud évoque le crucifiement de saint Pierre, le
patron de l'église. L'imagier d'Aulnay a pu prendre ici son
modèle. L'artiste a voulu à Pont-l'Abbé montrer le maximum
d'humilité du chef de l'Eglise ; c'est sa tête qui repose sur le
linteau et non la croix.

L'arrêt prévu à SAINTES était aussi important que celui de
Poitiers.

Au-dessus des arènes romaines se dresse le clocher de saint
Eutrope, premier évêque et premier martyr de la cité. Il était,
dit-on, fils de l'émir de Babylone ; étant allé à Jérusalem, il
avait assisté à la multiplication des pains et à la fête des
Rameaux. Après la mort du Christ il se fit baptiser et vint
sur l'ordre de Clément, successeur de Pierre, avec Denis l'Aéro-
pagite, évangéliser la Gaule. Ce Grec Denis serait celui qui
subit le martyre dans le lieu dit « Le Martyrium », 9, rue Antoinette à Paris — ce qui changea le nom du mont Mercure en
celui du mont des Martyrs qui devint par contraction Mont-
martre, et saint Denis demeure le grand apôtre de la capitale.
Eutrope vint à Saintes et y fit de nombreuses conversions y
compris celle de la fille du roi qui, furieux, le livra aux bouchers de la ville pour le martyriser.

Le chœur gothique a supprimé les absidioles, merveilles de
composition et de décoration comme on peut juger par les
deux qui restent. Descendons dans la crypte, fille des catacombes ; c'est peut-être la plus belle crypte qui ait survécu en

3

France. Les voûtes centrales sont déjà en arêtes, les chapiteaux sont à palmettes.

Nous ne pouvons plus traverser la Charente sur l'ancien pont romain que le XIXe siècle a détruit et dont il a réédifié l'arc votif, élevé à la gloire de Tibère, de Germanicus et de Drusus, de l'autre côté de l'eau.

L'ancienne abbaye des Dames de Saintes a une façade tout à fait remarquable, du XIIᵉ siècle, dont les deux étages sont ornés chacun de trois arcades richement sculptées et séparées par de hautes colonnes. Un très beau clocher carré s'élève à la croisée du transept. Il est percé de trois baies romanes sur chaque face et surmonté d'un tambour dont les douze fenêtres géminées sont séparées par des colonnes tandis qu'un cône imbriqué surmonte le tout.

Des corbeilles continues nous montrent des personnages se tenant la taille ou se prenant les cheveux ; une tritone à deux queues et certains thèmes décoratifs pourraient être des caractères coufiques ? Les deux coupoles ont disparu ; les bâtiments, longtemps habités par les militaires, sont maintenant libérés, mais il en reste peu.

Au sud-ouest de Saintes, les deux églises suivantes, RÉTAUD ET RIOUX, doivent leur originalité à leurs absides ; c'est le motif essentiel dont les facettes jouent au soleil dans la lumière du matin.

A Rétaud, au-dessus de l'arcade s'ouvre une autre arcature proprement dite avec des pointes de diamant et des billettes. En haut, la corniche est ornée de rosaces portant de superbes modillons.

Rioux a une abside à sept pans légèrement cintrés et divisés en trois étages dont les colonnes d'angle s'amenuisent au troisième étage. La variété de la coupe de pierre est extraordinaire (imbrication en particulier). C'est tout le luxe clunisien et, si l'on met cette abside en parallèle avec celle de GEAY (Nord-Ouest de Saintes), on constate que, pour cette dernière, le rigorisme et l'ascétisme cisterciens ont purifié le décor.

On ne peut détailler tous les dessins qui ont pris possession du mur, qui ne font plus qu'un avec lui et dont l'ensemble forme un tout pour l'extrême jouissance du regard.

PONS nous ramène à la grande route. Son superbe donjon se dresse encore au-dessus de la ville. Cette forte position a été occupée par les Gallo-Romains ; au Moyen Age la forteresse, avec celle de Taillebourg, était la plus importante de la Saintonge.

En plus des hôtelleries fondées par les Clunisiens il existait des hospices, sorte de relais routiers dus à la générosité de Seigneurs et dirigés par les Hospitaliers de saint Jean de Jérusalem, les Augustins ou les Antonins. Celui de Pons était, comme les autres, situé en dehors de la ville pour pouvoir offrir un refuge aux pèlerins arrivant de nuit après la fermeture des portes. Une voûte en berceau enjambe la route et vient s'appuyer sur deux murs ornés d'arcatures aveugles, percés de portes et munis de bancs de pierre.

Certains pèlerins qui venaient des pays nordiques par la Gironde débarquaient à TALMONT, où pouvaient également s'embarquer ceux qui allaient par voie de mer vers la côte espagnole.

Talmont, modeste petit village de nos jours, aux rues étroites dont tous les murs sont fleuris et où il fait si bon se promener loin de la foule des grandes stations estivales. Il fait bon aussi y rêver et l'on s'imagine les barques des pèlerins arrivant, ceux-ci gravissant la falaise et se rendant à l'église Sainte-Radégonde qui dépendait de l'Abbaye de Saint-Jean-d'Angély.

Menacée d'encerclement par les eaux, avec des brèches sur son socle, l'église est toujours debout et je pense que, durant les offices, on devait entendre le ressac des vagues sous l'édifice. Un mur de protection vient heureusement d'être édifié.

Au portail nord, dans la voussure supérieure, il y a un très beau mouvement de tireurs de corde, au bout de celle-ci est un monstre. Les cinq hommes répètent le même mouvement de chaque côté ; la légende racontait que ce monstre était le fameux dragon abattu par saint Georges...

Pour mon compte personnel cela ne me dérange pas. Si saint Georges n'est plus le pourfendeur des monstres, le gendarme des routes et le protecteur des voyageurs, sa légende a suscité de très belles œuvres d'art, et la vérité c'est ce qui demeure.

La première voussure est dédiée à l'Agneau, la seconde montre des acrobates faisant du main à main... pure fantaisie de l'imagier.

Souhaitons que les travaux de soutènement ne cessent

jamais et que jamais rien ne nous prive de ce régal des yeux et du cœur...

De Talmont, on descendait à BLAYE où dans l'église Saint-Romain était le tombeau du paladin Roland, auprès duquel reposait la Belle Aude qui dans la mort avait été réunie à son preux chevalier. La Basilique a été remplacée par la citadelle de Vauban... Et les sépultures n'existent plus que dans la chanson de Roland.

Par des « sauvetés » on arrivait à Saint-André-de-Cubzac où l'on doit jeter un coup d'œil à l'abside et au clocher de l'église, mais il est indispensable d'aller à quelques kilomètres de là, à LA LANDE DE FRONSAC (appelée auparavant LA LANDE DE CUBZAC).

Le chœur de l'église est décoré extérieurement d'une suite d'arcs en plein cintre formant sept fenêtres et la corniche repose sur des corbeaux sculptés. A l'époque des guerres de religion, on a élevé un mur percé de petites archères.

C'est le tympan nord qui va attirer tous nos regards. Nous sommes en présence d'une œuvre qui ressemble à un ivoire byzantin ou à une enluminure médiévale. C'est la vision apocalyptique de saint Jean dans l'île de Patmos. Le saint, un livre sur la poitrine, tourne la tête et voit le Fils de Dieu immense, les bras écartés, soutenant de la main droite le cercle qui retient les sept étoiles, tandis qu'un large glaive à deux tranchants effleure son visage. Saint Jean s'appuie contre de petits édifices à arcades surmontés d'une croix grecque qui représentent les sept églises d'Asie : Ephèse, Smyrne, Pergame, Thyatira, Sardes, Philadelphie et Laodicée.

Les quatre larges voussures sont décorées de losanges entrelacés, de bâtons brisés, d'entrelacs auxquels se mêlent un homme qui transperce la tête d'un lion, un autre qui dévore quelque chose et une femme portant un objet à son cou.

L'ensemble est d'un art barbare mais rempli d'expression, et il est regrettable que ce spectacle unique soit si méconnu.

Nous allons arriver à la SAUVE-MAJEURE qui était un grand centre de rassemblement des pèlerins où l'abbé bénissait solennellement bourdons et panetières ; mais pour ceux qui de Poitiers voulaient éviter l'Aunis et la Saintonge, ils descendaient par Charroux, Angoulême et Aubeterre.

De l'abbaye de CHARROUX il reste une magnifique tour lanterne de 8,50 m de diamètre. L'éclairage descendait sur le triple déambulatoire en rotonde et sur le chœur à absidioles. Dessous devait se trouver une crypte comme celle de saint Bénigne de Dijon. Des travaux ont été commencés en 1950, et l'on a installé dans la salle capitulaire un petit musée qui conserve les admirables statues qui ornaient le narthex. C'était la plus grande des églises poitevines.

La façade de la cathédrale d'ANGOULEME possède une frise représentant un combat de cavaliers contre les Maures ; malheureusement cette cathédrale a été un peu trop restaurée au XIXᵉ siècle par Abadie.

Revenons à la SAUVE-MAJEURE. Cette abbaye fut fondée au XIᵉ siècle par saint Gérard ; elle doit son nom à la grande forêt qui l'entourait : Silva Major. Elle se composait d'une nef avec bas-côtés, suivie d'un transept et d'un chœur possédant une abside en cul de four entre deux absidioles de chaque côté. Les deux plus proches du chœur communiquaient avec lui par deux arcades reposant au centre sur une puissante colonne ; l'un des chapiteaux de cette colonne représente des pommes de pin dans des croisillons de feuillages ; sur l'autre figurent des combats. Combat de deux centaures, de deux aspics (le péché) contre deux basilics (la mort), combat d'un homme armé d'une épée et d'un bouclier contre un lion et, enfin deux griffons buvant dans un vase posé sur une colonne.

Les absidioles voisines ont également de très beaux chapiteaux, il y en a aussi au transept. De grands travaux ont été faits. Puisse la Sauve-Majeure recevoir autant de touristes qu'elle a reçu de pèlerins.

L'église paroissiale possède à son chevet extérieur de grandes statues dans des niches : saint Pierre, la Vierge et l'Enfant, saint Jacques le Majeur habillé en pèlerin avec un chapeau bien enfoncé sur les yeux, puis saint Michel. Elle conserve également quelques fresques, entre autres un saint Martin coupant son manteau pour un pauvre qui a un peu l'allure d'un pèlerin...

BORDEAUX avait de nombreux asiles pour les pèlerins qui allaient vénérer le corps de saint Seurin dans l'église qui porte son nom.

Le porche de l'église (du xiᵉ s.) garde des chapiteaux célèbres ; l'un d'eux représente le sacrifice d'Abraham.

Dans la crypte, il y a de très beaux sarcophages de la fin du VIᵉ siècle.

La chanson de Roland nous dit qu'en cette église les pèlerins vénéraient le bâton pastoral — en forme de Tau — de saint Martial et surtout l'olifant de Roland avec lequel il sonna à Roncevaux...

Dessus l'autel Saint-Seurin, le baron
Mit l'oliphan plein d'or et de manguns...

C'est par la rue Saint-James (Jacques, en Aragon et en Grande-Bretagne) que nous gagnons la sortie de la ville.

A la sortie, comme à Pons, il y avait un hospice des pèlerins à GAYAC (on écrit maintenant Gaillac). Il reste quelques ogives des entrées de la chapelle et de la salle commune ; un plafond de charpente devait enjamber la route.

On pénétrait alors dans les Landes. Le guide en disait : « Pays désolé où il n'y a ni pain, ni vin, ni viande, ni poisson, ni eau... beaucoup de taons et des sables où l'on s'enlise... ».

Le premier arrêt était à BELIN où, dans la chapelle de l'hospice, on allait voir le tombeau d'Olivier, frère de la Belle Aude, et de plusieurs autres grands seigneurs, entre autres Ogier le Danois.

La légende raconte qu'Ogier le Danois avait combattu Charlemagne, puis mis son épée à son service et enfin décidé d'entrer dans un monastère dont il voulait éprouver la parfaite discipline. Aussi, en entrant dans les abbayes, faisait-il tinter des clochettes suspendues à son bâton. Les seuls religieux qui surent résister à l'épreuve (à part un jeune novice) furent ceux de Saint-Faron à Meaux. Ogier entra donc à Saint-Faron et y mourut. Son riche tombeau y était ; il ne reste ni église, ni tombeau, seulement une très belle tête provenant du tombeau et gardée au musée (ancien évêché) qui nous montre celui qui est devenu notre valet de Pique.

Tombeau à Belin, tombeau à Meaux, me voici encore songeuse... Mais si un bon guide du XXᵉ siècle récèle quelques erreurs, pourquoi n'y en aurait-il pas dans celui du XIIᵉ ? L'homme n'est pas infaillible...

Avant de traverser l'Adour on s'arrêtait à SAINT-PAUL-LES-DAX. L'abside de l'église est très curieuse par sa décoration extérieure. Il y court un bas-relief avec des sujets très divers : Cène, Baiser de Judas, Crucifixion, et puis des animaux apocalyptiques. Ces sculptures assez grossières sont curieuses et intéressantes.

La cathédrale de DAX est de style classique, mais l'on a remonté son portail principal à l'intérieur de l'église au transept nord. On y voit l'iconographie de nos grandes cathédrales : le Christ entouré de ses apôtres parmi lesquels on reconnaît facilement à ses attributs notre saint Jacques le Majeur. Nous retrouvons ici la tradition du gothique français.

Les nefs venues d'Angleterre, de Bretagne ou de Normandie mouillaient à SOULAC. C'est là que la Légende Dorée fait débarquer saint Martial, Zachée et sa sœur Véronique. Cette dernière aurait eu son tombeau dans l'église qui est devenue Notre-Dame de la Fin-des-Terres.

Mais l'église élevée dans un bas-fond, entre deux dunes, à proximité d'une source, fut envahie par une nappe d'eau. Les moines la remblayèrent sur plus de trois mètres. Sur le chevet roman, on éleva une abside gothique, puis un clocher plus haut que le précédent. Les sables envahissant tout, seul le nouveau clocher émergea ainsi que le chœur gothique. Puis un beau jour les sables se déplacèrent et depuis on a restauré l'église primitive en démolissant l'église gothique.

Certains chapiteaux sont analogues à ceux de l'église Saint-Seurin de Bordeaux.

N'est-ce pas, un peu, merveilleux ? Véronique et son voile, une église romane, une église gothique, du sable, le travail de la nature et puis celui de l'homme qui doit parfois lutter avec elle.

Mais l'homme ne doit pas seulement lutter avec les éléments, il doit aussi lutter pour la paix du monde s'il ne veut pas voir détruire l'ouvrage de ses mains. En 1945 la belle église fortifiée de Saint-Vivien de Médoc fut anéantie. Il n'en reste plus que les pans des murs de l'abside romane...

MIMIZAN, c'était Segosa, qui figure sur les itinéraires romains. Puis ce fut une abbaye bénédictine. Et le sable recouvrit Rome et le Moyen Age. A l'aide de joncs de sable on réussit à fixer les dunes et ainsi à sauver le clocher qui, ayant allure de donjon, servit de phare.

On ne peut s'imaginer quel magnifique portail encore polychromé existe à l'intérieur. Dans le haut, le Christ avec les douze apôtres ; nous reconnaissons saint Jacques à côté de saint Pierre, et ce sera l'une des plus anciennes statues connues. Dans les voussures (l'adoration des mages forme un petit tympan), les signes du zodiaque, les prophètes, les vierges folles et les vierges sages.

Cette voie secondaire partant de Soulac nous ramène à Dax où nous retrouvons les pèlerins et qui était la dernière grande étape avant l'Espagne.

Le prieuré bénédictin de CAGNOTTE a été défiguré ; on a même peint de couleurs « pompadour » les intéressants chapiteaux du transept.

Par un chemin de terre on gagne, au sud de Peyrehorade, une ferme qui fut l'ABBAYE D'ARTHOUS. Elle avait été fondée par les Prémontrès (fondateur saint Norbert au xiie siècle).

L'église, devenue grange, conservait une nef démesurément longue, un transept et une abside entre des absidioles qui ont des corniches sur des modillons sculptés. Il ne reste pas grand-chose du cloître ni des bâtiments conventuels.

Mais comme à Villesalem situé non loin de Montmorillon d'importants travaux de restauration ont été effectués ces dernières années.

Notre dernier relais sera pour l'ancienne ABBAYE SAINT-JEAN-DE-SORDES (aujourd'hui Sorde). C'était un important moustier bénédictin. Un portail roman a conservé au nord, avec un tympan formant une clef pendante où figurent le Christ et le tétramorphe, des voussures décorées des travaux des mois et des signes du Zodiaque. Dans le chœur de l'église nous remarquerons une belle mosaïque gallo-romaine provenant d'une villa qui occupait l'emplacement de l'abbaye. Elle est complétée par des panneaux postérieurs dont l'un est certainement carolingien.

Au bord du Gave donnent une terrasse fleurie et une galerie voûtée. Le site est admirable, il est d'ailleurs classé ; toutes ces ruines drapées de lierre sont très pittoresques avec la note éclatante du lagerstroemia :

Vindrent à Sordes, là hébergent le jor...

dit la chanson de Roland ; mais il fallait pouvoir y parvenir car les bateliers qui faisaient traverser le Gave rançonnaient les voyageurs en les fouillant, nous dit le guide, « jusque dans leurs culottes ». Sous la terrasse, d'importants souterrains servaient d'entrepôt pour les vivres destinés aux pèlerins ; d'après la légende, c'est Charlemagne qui fonda ce monastère.

SAINT-JEAN-DE-LUZ est la dernière ville de France ; la mer arrose ses murs. Après le passage de la Bidassoa à Béhobie, IRUN est la première ville d'Espagne, mais nous restons en pays basque malgré la frontière.

Ainsi finit cette première route où la résonance de nos pas scande : Martin, Hilaire, Charlemagne, Roland, Geoffroy-la-Grand'Dent... Nous avons, durant des jours, tellement vécu avec eux qu'ils sont devenus nos amis. Riches de cette amitié, nous irons désormais les yeux grand ouverts à la découverte de notre plus grande gloire nationale : le Passé de la France.

II

DEUXIEME ROUTE

1146... Une foule recueillie se taisait... Le roi de France, Louis VII le Jeune, était présent. La voix de saint Bernard se fit entendre. Cette même voix, qui s'était insurgée contre la représentation païenne d'influence orientale sculptée aux chapiteaux des abbayes, annonça que le Royaume latin de Jérusalem était menacé. La principauté d'Edesse qui appartenait à Baudouin de Flandre venait d'être reprise par les Turcs. L'écho de cette voix se fit entendre de l'autre côté de la Vallée de la Cure et les soirs d'été, à Vézelay, l'écho de l'immense foule redit qu'elle était prête à partir pour la Deuxième Croisade.

La Croix de la Cordelle, grande croix en bois posée sur deux blocs de pierre, rappelle ce souvenir vieux de plus de huit cents ans.

VÉZELAY... ce nom est rempli de musicalité... Il évoque un haut-lieu où l'esprit a soufflé. Son nom vient de Uzellac, formé de deux mots celtiques : Uzell (pointe) et Awch (montagne). Les remparts sont en ruines et les portes ne se ferment plus (il en reste trois sur sept).

La grande rue monte en pente raide jusqu'à l'église. Devant, un vieux puits, la maison des Colombes. Ses fenêtres ont gardé quelque chose d'humain comme un regard. On doit lire les trois inscriptions qui la décorent : « *Non quantum, sed quam bene* » : La qualité plutôt que la quantité. « *Conveniant rebus nomina faxo suis* » : Je ferai en sorte que le nom convienne à la chose. Et enfin ces deux vers :

Comme colombe humble et simple seray
Et à mon nom mes mœurs conformeray

La façade de l'église flanquée de ses trois portails en plein cintre, de son pignon percé de cinq fenêtres de hauteur différente séparées par des statues, de ses deux tours dont une seule subsiste, déçoit toujours. L'abside, avec ses arcs-boutants absolument nécessaires, ne donne pas l'impression de force ; seule la vieille tour Antonia située au transept réjouit notre regard.

Il faudrait pouvoir arriver dans le narthex de la Basilique les yeux bandés et, le voile retiré, se trouver face à face avec ce tympan qui a l'air de soulever toute l'église vers le Ciel...

Le Christ, assis sur un trône, dans une gloire, la tête entourée d'un nimbe crucifère, étend ses mains d'où partent des rayons de lumière qui vont frapper les têtes nimbées des apôtres qui l'entourent. Au linteau tous les peuples de l'univers sont représentés : les peuples chasseurs, les pêcheurs, les pasteurs, les guerriers, les peuples étranges (une femme est nue jusqu'à la ceinture et l'homme qui se penche vers elle a le corps couvert d'écailles), des cynocéphales, peuples à tête de chiens, pygmée montant avec une échelle sur son cheval, géants, Panotti aux oreilles énormes. L'imagination du Moyen Age peuplait la terre de races fabuleuses dans des contrées inconnues où l'évangile devait être annoncé. Crevant le plafond du linteau, deux personnages se dressent : saint Pierre avec ses clés interdit l'accès du Paradis aux réprouvés, et la Madeleine, la pécheresse, intercède pour tous ceux « qui ont beaucoup aimé ».

Que vient faire la Madeleine à Vézelay ? Elle a pleuré ses fautes dans la grotte de la Sainte-Baume en Provence, tellement pleuré que des larmes suintent encore sur les parois de la roche ; un peu plus au nord, à Saint-Maximin, dans la crypte, on vénère la relique de son crâne. Nous reparlerons de « la barque des Saintes-Maries » lorsque nous serons sur la route de Provence, mais ici abandonnons la légende pour, avec le plus de logique possible, nous rapprocher de la réalité.

A Ephèse, à l'entrée de la grotte des Sept Dormants, Marie-Madeleine aurait été enterrée, étant venue en Asie-Mineure en même temps que la Vierge et saint Jean. Autre légende...

Une seule chose est certaine : la première croisade qui pénétra en Asie Mineure franchit le Taurus et arriva à Jérusalem qui fut emportée d'assaut après quinze jours de siège, le 15 juillet 1099.

Et les croisés revinrent avec des reliques, vraies ou fausses, trouvées ou achetées... Le chef de sainte Madeleine conservé dans un reliquaire du XIXe siècle à Saint-Maximin est peut-être celui de Marie-Madeleine ; et des reliques de la sainte peut-être également furent apportées à Vézelay au début du XIe siècle, après la première croisade.

La seconde route conduisant à Compostelle partait de Vézelay. Pour attirer et grouper la foule de ceux qui venaient de plus loin, il fallait un sanctuaire possédant des reliques insignes. Celui qui avait été consacré à la Vierge et aux saints apôtres Pierre et Paul allait devenir La Madeleine de Vézelay.

Au portail sud du narthex, le tympan représente l'Annonciation, la Visitation, la Nativité, l'Annonce aux Bergers et l'Adoration des Rois Mages. Mais sur un chapiteau d'un pilastre cannelé logé dans un ressaut des jambages des pieds-droits, une sirène joue de la viole devant un homme qui se bouche les oreilles. N'est-ce pas Ulysse ?

Si le tympan du portail sud était consacré à la Nativité, celui du nord raconte les événements après la mort du Christ : la rencontre sur le chemin d'Emmaüs et l'Ascension.

Saint Pierre et saint Paul discutent au-dessous des signes du zodiaque et des travaux des mois. Sur la pile cannelée du trumeau Jean-Baptiste accosté de deux personnages plus petits traverse, lui aussi, le linteau. Le précurseur porte encore un disque où devait être sculptée la victime du monde : l'agneau pascal.

Entre le précurseur et le premier chef de l'église, entrons dans la lumière et l'espace libre vers cet envoûtement qui ne peut s'expliquer qu'ici.

La magnifique nef avec ses grandes baies, ses larges arcades, possède une voûte romane dont la hardiesse était téméraire. La voûte épaulée par de minces contreforts faillit, sous sa poussée, faire écarter les murs. On dut jeter à travers la nef des tirants de fer accrochés à de forts crampons chevillés sur des longrines en bois.

Plus prudent, l'architecte du narthex contrebuta le vaisseau central par les voûtes des tribunes.

Les doubleaux appareillés de pierres alternativement blanches et grises chantent leur symphonie sur deux tons au-dessus de notre tête ; l'envoûtement nous cloue d'abord au sol, puis le cordon décoratif qui suit toute la nef au niveau des voûtes et autour des tailloirs de chapiteaux supérieurs avec son large plissé rythme nos pas à travers les dix travées voûtées d'arêtes...

L'ancien testament est à notre portée aux chapiteaux de la nef. Au hasard il se lit. Goliath, vêtu d'une cotte de mailles, reçoit en plein front la pierre lancée par David, puis monté sur un rocher égorge le géant qui s'affaisse. Absalon, le fils rebelle de David, est poursuivi par son frère Joab. Sa longue chevelure s'accroche aux branches d'un arbre et il reste suspendu dans le vide tandis que sa monture continue sa course. Joab, par derrière, lui tranche la tête de son épée. Moïse, en descendant du Sinaï, aperçoit le Veau d'Or ; de la bouche de l'idole un diable ricanant montre la victoire de Satan et un Israélite vient apporter en offrande un agneau. Moïse brandit les tables de la loi qu'il s'apprête à briser.

Au xxᵉ siècle, le Veau d'Or n'est-il pas toujours debout !... Combien je préfère au culte de la richesse celui de l'amour qui n'hésite pas à briser le plus beau vase pour que le plus doux parfum s'exhale... C'est pour cela que ses nombreux péchés furent remis à Madeleine, parce qu'elle avait beaucoup aimé « Celui qui aime tous les hommes ».

Un premier monastère de femmes avait été fondé au lieu-dit « Fundus Vercellacus » qui deviendra SAINT-PÈRE-SOUS-VÉZELAY. Détruit par les Normands, il fut transféré sur la colline de Vézelay.

Au milieu de ce village se dresse un chef-d'œuvre de l'art gothique. Un élégant clocher coiffé d'une flèche moderne en charpente se dresse au nord de la façade. Ses trois étages sont percés sur chaque face d'une jolie baie garnie de fins remplages comme si elle devait recevoir des vitraux. Au-dessus de la terrasse du porche, une archivolte aussi large que la nef encadre dans son tympan une jolie rosace et soutient un pignon qui rappelle, par la disposition des statues qui le décorent, l'originale façade de Vézelay. Nous y retrouvons la Madeleine et son vase de parfum. Le porche de l'église, ajouté au XIV° siècle, communique largement avec l'extérieur par trois portails, et sur les côtés par deux grandes baies garnies de remplages légers.

La nef est du style le plus pur du XIII° siècle. Les grandes arcades retombent sur une pile cylindrique assez basse. Le faisceau des trois colonnettes qui répondent aux nervures des voûtes s'arrête alternativement sur un corbeau engagé dans le mur à peu près au niveau de la clef des arcades ou descend au contraire jusqu'au sol. Je pense que nos pèlerins devaient méditer sur une curieuse console du chœur qui représente le châtiment de l'avarice : un homme porte au cou une bourse pleine et deux chiens dévorent ses oreilles qui sont restées sourdes aux plaintes des malheureux.

Dans le bas-côté gauche, un tombeau du XIII° est surmonté d'une très belle sculpture malheureusement mutilée qui représente le jugement de l'âme.

Descendons un peu plus au sud pour voir les fondations et les soubassements des thermes gallo-romains qui semblent avoir appartenu à un vaste ensemble. Ce lieu s'appelle : FONTAINES-SALÉES et l'on venait au Moyen Age y chercher du sel, la sagesse donnée au baptême... Ces captages installés par les Gaulois consistaient en d'énormes troncs de chêne creusés et enfoncés en terre. L'eau évaporée donnait le sel.

Nous ne pouvons quitter le point de rassemblement de cette première route sans admirer l'un des plus beaux sites de la vallée de la Cure : PIERRE-PERTHUIS. Au pied du pont moderne subsiste le vieux pont pour descendre vers la rivière. La Cure aux eaux brunes bondit et écume sur les rochers ; elle dessinera de curieux méandres, restera glacée et miroitante cachée sous les vieux arbres, longera les grottes préhistoriques d'Arcy et se jettera dans l'Yonne.

Cette route bourguignonne qui partait de Vézelay voyait arriver, au rassemblement, des pèlerins venus de la Champagne. Dans la première route nous avons évoqué le beau vitrail de Notre-Dame-en-Vaux de Châlons-sur-Marne, qui représentait la vision du « Matamore » le jour de la bataille de Clavijo ou, par extension, celle de la grande première bataille de la Reconquête espagnole en 1212 à Las Navas de Tolosa.

Pourquoi dans une église dédiée à Notre-Dame cette légende occupe-t-elle une place si importante ?

CHALONS se trouvait sur la route que suivaient les pèlerins du Nord. Ils arrivaient par la porte Saint-Jacques ; après avoir dépassé la léproserie qui portait le nom du saint et la rue qui lui était également dédiée, ils aboutissaient à Notre-Dame qui avait été construite hors des murs sur un terrain bas et marécageux qu'on appelait la Vallée, d'où le nom de Notre-Dame en Vallée ou en Vaux.

Avec ses deux tours aux deux extrémités elle s'apparente au plan des églises rhénanes. Des deux flèches de la façade, celle du sud est d'époque. Elle se compose d'une charpente de bois recouverte de lames de plomb assemblées. Son magnifique chevet du XIII° siècle évoque Saint-Rémi de Reims. Les chapelles absidiales ont un dispositif très gracieux de deux colonnes isolées à l'entrée de ces chapelles. On retrouvera ce même dispositif à Saint-Rémi de Reims et à la collégiale de Saint-Quentin, mais le dessin des voûtes en se ressemble pas.

En 1678 les marguilliers de Notre-Dame proposèrent et obtinrent d'acheter les verrières de la Maladrerie de Saint-Jacques pour les placer dans les grandes fenêtres du bas-côté sud qui venaient de remplacer les étroites baies romanes. Les panneaux furent répartis au petit bonheur sur trois fenêtres, mais les Cosaques, en 1814, passèrent par là. Elles furent reconstituées ; cependant plusieurs scènes restaient indéchiffrables. Restaurées complètement après la guerre de 1914, elles développent d'une part la Légende Dorée de Jacques de Voragine sur la vie de saint Jacques et, d'autre part, dans les tympans et à la partie inférieure, dans les panneaux en forme de cœur se trouvent quelques fragments de la légende du Pèlerin de Toulouse dont nous parlerons longuement sur la route d'Espagne. La bataille de Saint-Jacques est seule sur le bas-côté nord ; à la suite, il y a cinq autres verrières consacrées à la Vierge.

Après treize ans de patientes recherches, morceau par morceau le cloître gothique de la collégiale de Notre-Dame-en-Vaux de Chalons-sur-Marne s'est reconstitué tel un puzzle géant. Félicitations aux chercheurs et aux fouilleurs.

Outre Notre-Dame-en-Vaux, Châlons possède la très belle

cathédrale Saint-Etienne et son musée dans la salle basse de
la Tour romane ; il est fort regrettable que de nos jours les
pèlerins de « l'Art » ne s'y arrêtent pas plus souvent.

A deux lieues de Châlons-sur-Marne, dans cette Champagne
aride, dominée par un médiocre plateau, coule la rivière de
Vesle. Là s'élevait un sanctuaire dédié à NOTRE-DAME DE L'EPINE
depuis le XIII⁰ siècle. La façade actuelle du XV⁰ siècle est assez
surprenante au milieu de cette aridité. La petite Vierge miraculeuse datée de la fin du XIII⁰-début XIV⁰ est exquise ; à l'intérieur de l'église existe un puits vanté par Victor Hugo lorsqu'il
est passé par là en allant vers le Rhin : « Le merveilleux édifice
a poussé dessus, ce puits a produit une église comme un oignon
produit une tulipe. »

Près du puits la chapelle à chevet plat était anciennement
dédiée à saint Jacques comme le prouve une inscription gravée
sur le gradin de la table d'autel : « altare bti Jacobi 1542 ». Mais
la statue du saint se trouve au croisillon sud, car la route des
pèlerins passait juste derrière ce portail. Les Jacquaires du
XVI⁰ siècle pouvaient, le nez en l'air les jours où il ne pleuvait
pas, admirer les quatre-vingt-quatre gargouilles qui ornent
encore toutes les façades. Ces gargouilles ont beaucoup fait
parler d'elles. Huysmans dans son roman « Là-Bas » écrit :
« Cette église a été autrefois bâtie pour conjurer les vénéfices
qu'on pratiquait à l'aide des épines qui poussaient dans ce
pays et qui servaient à transpercer des images en forme de
cœur... » Mais Michelet déclare : « Sculptures très remarquables, mais aussi très obscènes... Images des vices et des péchés
sculptées dans la licence d'un pieux cynisme... » Je crois plutôt que la province où les épiciers de Troyes griffonnaient sur
leurs comptoirs les histoires satiriques et allégoriques de
« Renard et d'Isengrin » et qui possède le terroir du vin pétil-
lant savait garder cet esprit gaulois qui est une caractéristique
de notre esprit français... On ridiculise, on se moque, on pro-
voque la gaieté... mais c'est pour rire...

TROYES, ancienne capitale de la Champagne, mérite une longue visite. L'église Sainte-Madeleine, avec son admirable jubé
en pierre et sa statue de sainte Marthe, qui est le chef-d'œuvre
de l'école troyenne, Saint-Nizier et son Ecce Homo, Saint-
Pantaléon, édifice aux proportions insolites contenant plus de

SAINT-JACQUES-DES-GUÉRETS
(Loir-et-Cher) : décollation de
saint Jacques.

SAINTE-MAURE-DE-TOURAINE (Indre-
et-Loire) : chapiteau à dessin archaïque.

SAINT-GERVAIS (Loir-et-Cher), chapelle
rupestre : les pèlerins de Saint-Jacques
de Compostelle.

CHATEAUNEUF-SUR-CHARENTE
(Charente) : Constantin ou Santiago ?
Ci-contre : même motif à MELLE.

CHALONS-SUR-
MARNE : Notre-
Dame-en-Vaux.
Détail d'un vitrail :
apparition du Ma-
tamore (tueur de
Maures) à la bataille
de Clavijo en 844.

ÉCHILLAIS (Charente-Maritime) :
le grand'goule.

TRIZAY (Charente-Maritime) :
arcatures de la salle capitulaire.

PONS (Charente-Maritime) : relais ; hospice des Pèlerins.

LA LANDE-DE-FRONSAC (Gironde) : la vision apocalyptique.

soixante statues, véritable musée de l'art de la Renaissance troyenne, suffiraient pour faire de cette ville une Ville d'Art. La cathédrale dédiée à saint Pierre et à saint Paul possède dans le bas-côté nord un célèbre vitrail dit : Pressoir Mystique. Cette verrière fut exécutée vers 1625 par le Troyen Linard Gontier.

Ce thème rappelle la prophétie d'Isaïe. Le Christ est le cep de vigne, dans les rameaux se tiennent les apôtres. Il reste en France deux très beaux vitraux relatant cette prophétie. L'un est à Conches, dans l'Eure ; on y peut lire ce texte : *Torcvlar calcavi solvs et de gente non est vir mecvm Isa,* inscrit au-dessous de la représentation du Christ foulé comme le grain du raisin. C'est le psaume 63 : « A la cuve j'ai foulé solitaire. Des gens de mon peuple nul n'était avec moi. » Ce vitrail est du xviᵉ. Mais à Paris, dans la chapelle des catéchismes de l'église Saint-Etienne-du-Mont, dans la galerie qui faisait autrefois partie de l'ancien charnier, existe à la dixième fenêtre un autre pressoir mystique où le corps du Christ est broyé comme les grappes de la vigne. Celui-là est du xviiᵉ siècle. Non loin de Paris, en Seine-et-Oise, il en existait un autre à Andresy ; malheureusement, mutilé et restauré, il n'évoque plus rien.

Sans sacrifice il n'y a plus de messe, le vin devient du sang.

En descendant vers Auxerre, il était conseillé de se rendre vers la deuxième Fille de Citeaux : PONTIGNY. Fondée en 1114, cette abbaye devait donner l'hospitalité à trois archevêques de Cantorbéry.

Le premier fut Thomas Becket. Ministre du roi Henri II d'Angleterre, il décide de s'occuper uniquement des affaires de Dieu et l'amitié du roi se change en haine. Il doit fuir, se réfugie à Pontigny, mène la vie des moines, puis décide de rentrer dans sa cathédrale à Cantorbéry, il y sera assassiné par ordre du roi.

Le second fut Etienne Langton. Le troisième, qui devint saint Edme, a encore sa châsse dans l'église. Le pape Grégoire IX lui avait confié le soin de prêcher la sixième croisade en 1227. Il eut tant à lutter à Cantorbéry qu'il dut s'exiler et se réfugia à Pontigny. Il mourut près de Provins, mais son corps fut rapporté à Pontigny et le chemin que tous les pèlerins empruntaient portait le nom de « chemin de Saint-Edme », et ils se rendaient en foule au tombeau.

De très loin la longue nef apparaît à l'horizon par-dessus les peupliers et les prairies de la vallée du Serein. Et je pense à la prière du Moyen Age, toujours d'actualité, que des milliers de bouches ont prononcée : « J'ai recours à vous, grand Saint, comme à mon médecin charitable établi de Dieu pour guérir les malades remplis de maux, de langueurs et de peines... » Je pense aussi que vers 1901, Paul Desjardins, propriétaire de l'abbaye, y a institué ses fameuses Décades internationales. Tout ce qui avait un nom dans le monde intellectuel de cette époque vint au moins une fois prendre part aux « Entretiens ». Et pour ceux qui aiment avec passion l'art roman, mais qui ont souvent des œillères sur l'évolution naturelle et compréhensive de l'art à travers les siècles et les pays, je rappellerai que la « querelle du Baroque » a commencé dans les grandes allées de l'abbaye de Pontigny.

Au IXᵉ siècle, durant la période d'invasion des Normands, les moines de Tours avaient fui en emportant le corps du Thaumaturge saint Martin. Ils s'arrêtèrent en Bourgogne, près de la rivière du Serein, à Saint-Loup de CHABLIS. Pour avoir possédé quelque temps le corps du grand apôtre des Gaules, l'église Saint-Loup prit le titre de Saint-Martin.

Son portail méridional est assez remarquable. Le tympan est décoré d'un trilobe mo18uré et d'une croix aux extrémités fleuronnées, au nimbe central garni d'une image de l'Agneau. Dans les angles, deux monstres ailés, le corps renversé, dessinent de curieuses arabesques, celui de gauche surtout dont la queue démesurée vient s'enrouler au-dessus de sa tête. Les peintures des vantaux sont du XIIIᵉ siècle. On y remarque de nombreux fers d'animaux cloués, cent onze exactement offerts à saint Martin, considéré comme le patron des voyageurs. On pouvait pèleriner à pied, mais pour demander protection au grand saint il fallait offrir le symbole du heurt du chemin.

Nous voici à AUXERRE, la ville de Cadet-Roussel et de Marie Noël. L'Yonne y passe si lentement que Mme de Staël disait « que c'était une rivière qui ne savait point couler... »

Auxerre, c'est saint Germain qui, au Vᵉ siècle, fut le grand voyageur de son époque. Succédant à saint Amatre, il fut le sixième évêque de l'antique Autricum. L'hérésie du moine Pélage qui niait le péché originel et la rédemption sévissait en Angleterre. Le pape décida d'envoyer en « Bretagne » Germain d'Auxerre et Loup de Troyes pour ramener les fidèles à la vraie foi. Avant de s'embarquer, Germain reçut de la bergère « Geneviève », à Nanterre, ses vœux de célibat. Deux fois il fera la traversée ; puis, rentré à Auxerre, il repartira pour Ravenne demander à l'empereur de retirer ses troupes d'Armorique.

C'est là qu'il s'éteignit le 31 juillet 448 ; mais son corps revint à Auxerre le 22 septembre, fête de saint Maurice, et fut placé dans une petite chapelle que saint Germain avait construite. Sur son tombeau, la reine Clotilde, épouse de Clovis, fit élever une basilique au vᵉ siècle et l'église Saint-Maurice devint l'abbaye Saint-Germain.

Mais la crypte actuelle fut élevée par l'abbé laïque Conrad, beau-frère de Louis le Débonnaire, en 843. Elle se compose d'une nef et de deux bas-côtés ; la voûte en berceau repose sur des architraves en chêne ; les colonnes galbées semblent provenir de monuments gallo-romains ainsi que les chapiteaux. Dans le fond, chapelle Sainte-Maxime, du xiiᵉ siècle.

Durant onze siècles, les fidèles se sont penchés sur un tombeau, mais en 1567 les Huguenots éparpillèrent les reliques. Que m'importe le tombeau vide, puisque la crypte est encore remplie de toute la foi de onze siècles !...

C'est dans une autre crypte que nous allons suivre les pèlerins, celle de la cathédrale Saint-Etienne. La voûte de la travée droite est décorée d'une composition en forme de rectangle. Se détachant sur une grande croix semée de cabochons, le Christ au nimbe crucifère, tenant une baguette à la main, est monté sur un cheval blanc. Aux quatre cantons de la croix, quatre anges à cheval. Ce Christ de l'Apocalypse armé d'une verge de fer, peint dans des tons d'ocre rouge et d'ocre jaune, n'a rien d'effrayant. Cette scène du « Roi des Rois » est unique comme peinture murale. Au-dessus de la crypte, la chapelle du chevet présente la particularité de deux colonnes isolées comme à Notre-Dame-en-Vaux, à Saint-Rémi-de-Reims et à la basilique de Saint-Quentin.

Lorsque le corps de saint Germain fut ramené en grande

pompe à Auxerre, par la voie d'Agrippa qui allait de Lyon à Boulogne, cinq jeunes filles de la noblesse romaine avaient tenu à l'accompagner. Toutes les cinq demeurèrent en Gaule. Porcaire eut un ermitage près de Pontigny, Pallaye a donné son nom à une paroisse de l'Yonne et Maxime à une chapelle de la crypte Saint-Germain dont j'ai déjà parlé. Nous parlerons de Magnance un peu plus tard ; occupons-nous de Camille qui se fixa à Escolives où elle mourut.

Le tombeau dans la crypte fut détruit également par les Huguenots ; c'est sur ce tombeau que fut élevée la ravissante église à flèche octogonale recouverte de briques à plat. Devant l'église, un joli porche bourguignon où tous les cintres sont biseautés.

Un bras détourné de la Cure, qui arrose prés, vergers et jardins et remplit les abreuvoirs de la ferme dont le pigeonnier est toujours debout, nous conduit à ce qu'il reste de la cinquième fille de Clairvaux : l'abbaye de Reigny.

Seul le réfectoire est bien conservé, voûté d'ogives retombant sur une épine de colonnes centrales et éclairé par de larges fenêtres à meneaux, trèfles et oculus ; la chaire du lecteur est couverte d'une petite voûte d'ogives, on y accède par un escalier réservé dans le mur. Seuls désormais les cygnes chassant l'onde avec leurs larges palmes évoquent la lente promenade des moines blancs...

Nous sommes arrivés avec les pèlerins de Champagne à Vézelay ; deux routes s'offrent maintenant à notre disposition.

Prenons la première, la plus longue qui nous fera faire un coude par Autun, ce que nous ne regretterons pas.

Tout d'abord, voici : Avallon.

Une première église dont la date est incertaine avait été dédiée à Notre-Dame. A la fin du xie siècle on fit don à l'église du chef de saint Lazare. Nous aurons l'occasion de reparler du frère de Marthe et de Marie, lorsque nous serons sur la quatrième route. Cette insigne relique fit changer le vocable de l'église de « Notre-Dame » en « Saint-Lazare ».

Au xiie siècle, lorsque l'église dépendait de l'abbaye de Cluny, la magnifique façade fut élevée ; malheureusement il n'en reste que deux portails très mutilés. La composition architecturale de ces portails est aussi celle des portails de Vézelay et d'Autun. Celui du sud est à peine lisible : Adoration des mages, les mages devant Hérode, au-dessous la résurrection de Lazare. Au-dessus dans les voûssures, une admirable décoration de fleurs, de fruits et de feuillages. Au trumeau devait figurer la statue de saint Ladre (inscription gravée à la base), Ladre était saint Lazare. Les statues-colonnes ont disparu, à l'exception de celle qui avait été remployée dans l'une des baies du clocher et qui a été redescendue en 1907 à une place qui n'est pas celle d'origine. Il faut aussi remarquer les colonnes torses et le détail des chapiteaux. La position acrobatique d'une figure du soubassement du portail sud semble inspirée de deux figures semblables de la voûssure de Vézelay, un jongleur et un chien dont le corps, inscrit dans l'orbe du médaillon, est ployé en cercle. Ici nous devons avoir affaire à une charmante bateleuse... Le portail central de saint Lazare fermait le cycle des grands portails romans bourguignons et ouvrait la voie à des perspectives nouvelles.

Pour pénétrer dans l'église il faut descendre des marches, l'abaissement du sol depuis le seuil jusqu'au chœur est de deux mètres ; les deux bas-côtés sont inégaux. A côté existe l'église Saint-Pierre, qui était le siège de la paroisse.

A côté de l'église, jolie maison avec tourelle d'escalier du xve. Le charme des petites rues nous replonge dans le temps où saint Lazare était honoré par les pèlerins et surtout par ceux qui étaient atteints de la lèpre ; et le cantique composé par Blanche de Bretagne, comtesse d'Artois, qui avait été guérie de cette terrible maladie, résonne encore à nos oreilles :

Sire saint Ladre d'Avallon
Baille meix indulgence et remichion...

Remontons au nord-est d'Avallon à quelques kilomètres de Sauvigny-le-Bois pour venir prendre une leçon d'humilité.

Un monastère avait été fondé là en 1205 par une colonie de moines de l'ordre de Grandmont en Limousin. La réputation de simplicité et de sainteté dont jouissaient ces moines les firent appeler par le peuple les « Bonshommes ». Les bâtiments furent brûlés en 1846 ; ce qu'il en reste montre que c'était un modèle d'architecture monastique du début du xiiie. Eglise à nef unique, cloître et salle capitulaire sont d'un style très sobre et très pur. La société d'Etudes d'Avallon en a fait un musée lapidaire et le prieuré de SAINT-JEAN-DES-BONS-HOMMES possède quelques belles pierres tombales dont les yeux des gisants se sont depuis longtemps ouverts « à quelque immense aurore »...

Saint Bernard est passé à MONTRÉAL ; c'est la raison pour laquelle en bons pèlerins nous devons y aller. Montréal n'a qu'une rue qui, partant de la plaine, nous conduit jusqu'au sommet du pays. Cette rue a deux portes : Porte d'en bas et Porte d'en haut. Cette dernière nous conduit à la Collégiale.

Celle-ci fut bâtie vers 1150. La largeur du grand portail nous étonne ; il occupe à lui seul le tiers de la façade. Ce qui tout de suite frappe le regard c'est la décoration des deux portes géminées composées de petits festons descendant le long du trumeau et des pieds-droits. Emile Male voit dans ce motif, que nous aurons l'occasion de retrouver ailleurs, l'influence de la Perse et rappelle qu'on le retrouve à la mosquée de Cordoue.

Ces deux portes, qui ont encore leur penture de fer forgé, sont surmontées d'une rose à huit rayons sertie avec rigueur par une double baguette. En entrant dans l'église nous sommes frappés par son unité de construction et par la pureté de son style. Dans le chœur, ses stalles du XVIe siècle sont universellement connues. Elles sont l'œuvre des frères Rigoley de Nuits-sous-Ravière, qui se sont représentés eux-mêmes au-dessus d'une Sainte Famille pleine d'intimité et de fraîcheur. Marie est en train de coudre, Joseph travaille à son établi de charpentier et le petit Jésus fait ses premiers pas tandis qu'un angelot pousse le chariot qui le soutient. Le groupe supérieur représente les deux sculpteurs assis à une table, s'apprêtant à vider un énorme pichet de vin... de Bourgogne.

A côté de la Collégiale se dressait le château des Anséric ; il ne reste plus que ses fondations. Ce haut lieu ne sera plus assiégé ; au loin les collines s'étagent jusqu'à l'horizon déjà bleu et des vallées monte l'écho du passé qui vient caresser doucement la vieille église. Les crimes et les excès de toutes sortes des Anséric, les attaques d'Edouard III, les grandes Compagnies, les Bourguignons et les Armagnacs, les Ecorcheurs, François Ier et Henri IV, tous ces fantômes ne hantent plus ce lieu parce que le « Serein coulant en bas de la vallée a tout purifié »...

Un peu au nord, à une dizaine de kilomètres, dans un vallon pittoresque, entouré de pentes boisées et de rochers, se blottit la petite église de Civry. Le porche du xiiie siècle passe pour le plus beau de Bourgogne. Ouvert sur trois côtés avec quatre arcades en plein cintre, il semble trop grand pour la façade. Et l'on se demande pourquoi cette importance ? Il paraît que ce porche viendrait de Montréal et l'on comprend mieux ainsi pourquoi actuellement ce petit chef-d'œuvre demeure loin de la grand-route.

Nous sommes revenus à Avallon et c'est la route principale que nous allons désormais suivre durant de longs kilomètres.

Cette route nous fait arrêter à Sainte-Magnance. Nous y retrouvons une des cinq jeunes filles de la noblesse romaine qui accompagnèrent le corps de saint Germain. Magnance mourut de fatigue entre Saulieu et Avallon et fut inhumée à l'endroit où se trouve encore son tombeau. Il faut pénétrer dans cette modeste église pour venir admirer ce monument du xiie siècle. Sur l'une des deux faces latérales, le sculpteur a représenté la mort de saint Germain entouré de quatre jeunes filles (certains y voient la mort de Magnance entourée de ses amies) et, de l'autre côté, la vision du pèlerin qui aurait découvert le tombeau de la sainte. Sur la face extérieure le portrait de la sainte en vêtements de route, un bâton à la main.

La sainte en pèlerine, le pèlerin découvrant le corps de la sainte, que d'exemples concrets pour nos Jacquaires... Que de sujets de méditations...

Mais nous voici à Autun et, au trumeau de l'église, Lazare le ressuscité nous accueille entouré de Marthe et Marie qui, comme au matin de Pâques, ont encore dans leur main leur vase de parfum (ces statues sont une restauration). Nous avons vu le chef de saint Lazare à Avallon, son corps aurait été vénéré en ce lieu dans un tombeau construit par le moine Martin.

Il ne reste plus rien aujourd'hui de ces reliques qui mettaient les foules en marche, mais le tympan de l'église, à lui seul, mérite le déplacement de tous les pèlerins-touristes de notre époque, tant par la beauté de ses sculptures que par son enseignement.

Les anges soufflent dans leur trompette et les morts se

réveillent. Ils vont être jugés et pesés dans l'inexorable balance de la justice, les élus aidés par les anges monteront dans un ciel aux arcatures romanes, et les damnés aux figures grimaçantes seront précipités dans la marmite de l'enfer...

A la droite du linteau figure la résurrection des damnés ; il faut les regarder un à un. Les uns se bouchent les oreilles avec leurs mains en entendant les trompettes, un autre se retourne sous la poussée de l'ange justicier et s'efforce en grimaçant de l'attendrir, l'ivrogne au nez proéminent frappe sur son tonneau vide, l'avare a les mains collées à ses lingots qui ne servent plus à rien et, au bord du tombeau, celui-ci a honte parce qu'il va être obligé de se déshabiller devant tout le monde.

A gauche vient le réconfort car, parmi les élus, figurent deux pèlerins : l'un porte sur sa panetière la croix de Jérusalem et l'autre la coquille Saint-Jacques. Celui qui faisait son pèlerinage était donc assuré de son salut.

> *Notre dernier pas, nous le faisons,*
> *La dernière fleur du chemin nous la foulons*
> *Nous venons de la route*
> *De la route de Saint-Jacques*
> *Tout fourbus*
> *Tout rompus*
> *Notre tête toute dressée*
> *Toute dressée vers Toi*
> *Pour te voir...*

Cette prière des routiers du ciel s'adresse au merveilleux visage du Christ que l'abbé Grivot, qui est aussi l'auteur de cette ballade, a remis à sa place depuis 1948. Sous les pieds du Christ il y a la signature de l'artiste « Gislebertus hoc fecit ».

A Vézelay le Christ envoyait ses apôtres dans le monde en leur donnant l'Esprit Saint ; ici c'est l'arrivée, la fin du monde... Saint Thomas nous dit : « On ne sait pas trop comment tout cela se passera », mais lorsque je regarde mon pèlerin seulement vêtu de sa sacoche sur laquelle ressort la coquille avec son gourdin sur l'épaule et marchant pieds nus

sur l'unique plante du tympan, je répète les mots du poète
Raoul Ardent qui vécut au XIIe siècle :

Celui qui est pour nous fleur dans le chemin
Sera fruit dans la patrie...

NEVERS sur le versant et sur le plateau de la rive droite de la
Loire au confluent de la Nièvre va nous amener à vénérer le
premier martyr, saint Etienne qui fut lapidé en l'an 33 à
Jérusalem.

C'est un ancien prieuré clunisien du XIe siècle dont la façade
a perdu ses tours mais dont la particularité est de posséder
des arcs en forme de mitre à l'extérieur et à l'intérieur de
l'église. La magnifique ordonnance du chevet avec ses trois
absidioles du déambulatoire et ses deux absidioles orientées
qui s'ouvrent sur le croisillon attirera notre regard. Aucune
décoration, c'est l'art de l'équilibre et des proportions, c'est un
roman auvergnat puissant avec des détails bourguignons.

SAINT-PIERRE-LE-MOUTIER est célèbre par la dernière victoire
remportée par Jeanne d'Arc. Mais ce lieu était aussi indiqué
sur l'itinéraire des pèlerins. Le portail nord de l'église Saint-
Pierre représente le Christ entouré des quatre évangélistes ;
comme au portail nord de Saint-Benoît-sur-Loire, les deux
évangélistes apôtres Mathieu et Jean reçoivent leur enseignement directement du Christ, tandis que les deux autres, Luc
et Marc, qui n'étaient que des disciples, le reçoivent des anges.

A l'intérieur de l'église il y a d'intéressants chapiteaux, dont
l'un représente des personnages jouant de divers instruments
de musique.

Non loin de Saint-Amand-Montrond s'élève une des filles de
Clairveaux : NOIRLAC. En 1153, à la mort de saint Bernard, il y
avait 343 abbayes cisterciennes ; Noirlac, fondé en 1136, s'appelait à l'origine l'abbaye de la Maison-Dieu ; mais le bras
mort du Cher, près duquel elle fut construite, lui donna bientôt
le nom qu'elle a gardé. On la distingue de loin à travers un
rideau de peupliers, et c'est à l'extrême limite de prairies
humides, en bas d'une pente rapide que couronne la forêt,
qu'on la trouve.

C'est un vaste quadrilatère aux toits de vieilles tuiles en

parfait accord avec le calcaire aux teintes chaudes, tiré par les moines des carrières voisines. Le cellier se présente d'abord à nous ; c'est la seule partie des bâtiments conventuels qui était réservée à un usage agricole ; ensuite le réfectoire des moines. L'église a 59 m de long, 17 m de large, la hauteur de la voûte est supérieure au transept. Le plan est celui des grandes églises cisterciennes ; croix latine fermée à l'est par un chevet plat. La nef comme le transept sont couverts de voûtes d'ogives. Il est possible qu'à l'origine les constructeurs de l'église aient prévu de couvrir l'ensemble, comme à l'abbaye de Fontenay, d'un berceau brisé sur arcs doubleaux, mais il est certain qu'ils changèrent d'avis, utilisant dès le XIIe siècle, croisées d'ogives et arcs-boutants.

Le cloître actuel n'est pas le cloître primitif : celui-ci devait être plus petit et probablement carré. La galerie sud, aujourd'hui effondrée, est du XIVe siècle. La salle capitulaire est sans conteste le morceau le plus admirable de l'abbaye.

Après le dortoir des frères convers, existe une longue salle rectangulaire de 38 m sur 7,50 m qui était le dortoir des moines.

Par le Concordat de 1516, François Ier avait obtenu pour lui et ses successeurs le droit de mise en commende des domaines religieux. Depuis lors, des abbés laïques (il y eut même des femmes) devenus abbés commendataires pressurèrent ces domaines religieux qui devenaient pour eux des sources de revenus et leur permettaient de continuer à mener grand train de vie. Cette commende fut une grande plaie pour les abbayes. Parfois cependant certains abbés se firent construire une demeure au sein de l'abbaye et restaurèrent les bâtiments au goût du jour.

Ce fut le cas à Noirlac et l'on est surpris de voir quatre cellules comportant de belles boiseries moulurées de style Louis XV, une alcôve, une cheminée sculptée en belle pierre de la Celle et quelques meubles rustiques. Ce sont des restitutions inspirées par les descriptions des documents d'archives du XVIIIe siècle, car Noirlac vient de reprendre sa place dans le patrimoine artistique après de nombreuses vicissitudes.

Je ne peux passer sous silence mon premier contact avec Noirlac. Les vieillards de l'hospice de Saint-Amand venaient d'évacuer ces lieux qui n'étaient pas faits pour eux ; c'était un soir de novembre ; le cloître, la salle capitulaire étaient éclairés par un clair de lune qui savait artistement nous cacher toutes les blessures du monument. Dans le transept de l'église où je m'étais rendue j'eus comme une vision du Moyen Age. Par l'escalier de pierre du croisillon sud, les personnes qui m'accompagnaient ce soir-là descendaient du dortoir avec leur lampe électrique à la main. Toutes ces petites lumières clignotantes, ces grandes ombres qui s'allongeaient sous la lune dans ce décor de pauvreté volontaire, de simplicité voulue, accroissaient mon émotion. Et je compris ce qui a fait la puissance et la force de l'esprit cistercien. La nudité des piliers, des murs et des voûtes, l'absence de sculptures donnaient à ce moine en blanc qui circulait à travers cette architecture une grandeur artistique et une poésie jamais égalées...

Leur règle de construction était la suivante : « Quand on ne sait pas, on ne fait pas ; Si l'on a fait, on ne défait pas ; Si l'on a mal fait, on est sans excuse. » Je regardai une dernière fois au pied du mur de pignon du croisillon nord une porte murée, l'ancienne porte des morts. C'est par là que les cortèges de tous ces grands bâtisseurs accédaient au cimetière des moines. On a formé le magnifique projet de faire de cette abbaye désormais doublement muette, un centre international où seront évoqués l'histoire de l'ordre de Citeaux et son rôle artistique au Moyen Age. Puissent les pèlerins des siècles futurs voir revivre ce qui a été une source du grand rayonnement de leur pays.

A quelques kilomètres de Noirlac s'élève à Bruère une ancienne borne milliaire romaine qui provient de la station d'Allichamps et qui, relevée en 1757, marquait le centre présumé de la France de l'époque.

J'ai parlé à Noirlac de la belle pierre de LA CELLE. Il s'élève, à cet endroit, une église du XIIᵉ siècle à la nef de cinq travées, flanquée de bas-côtés dont elle est séparée par des piles cruciformes reliées par de grandes arcatures en plein cintre qui donnent une impression d'archaïsme. Le chœur communique avec les absidioles par trois belles arcades aux magnifiques chapiteaux. Deux chapiteaux se distinguent des autres. L'un porte à chacun de ses angles une tête d'homme barbu très saillante, alternant avec des figures de femmes, l'autre présente huit oiseaux aux cous entrelacés.

Un clocher central ayant sur chaque face deux baies en plein cintre recoupées par une colonne engagée, et terminé par un toit en pavillon, donne à l'ensemble un aspect un peu lourd. Mais la façade possède trois fenêtres romanes sous lesquelles se trouvent deux bas-reliefs de l'époque carolingienne signés « Ardus » et représentant en une grossière sculpture des lutteurs. L'église de la Celle était celle d'un prieuré dépendant de l'abbaye de Deols dont nous parlerons prochainement.

On vient de restaurer la très belle église SAINT-GENÈS DE CHATEAUMEILLANT dont le chœur, composé de cinq nefs, rappelait Cluny. C'était en effet une abbaye qui servait de relais ; l'hôtel de ville actuel occupe la place de l'ancienne église du chapitre.

Il faut faire le tour de l'église pour admirer l'ordonnance des absidioles et la couleur chaude de la pierre.

La grande route nous amène à LA CHATRE où existait une porte Saint-Jacques avec statue du saint. C'est du haut de l'ancien château bâti au XVᵉ siècle et immortalisé par George Sand, que nous découvrons « la vallée noire ». Jamais paysage plus riant, plus frais et plus pastoral ne s'offrit aux regards d'un prisonnier....

Avant de nous engager dans la vallée de l'Indre, dirigeons nos pas vers THEVET SAINT-JULIEN. Dans cette petite commune existait l'église Saint-Martin qui est actuellement une grange. Ce bâtiment a été divisé en deux par un plancher ; à l'aide d'une échelle comme des poules montant au poulailler, il faut aller admirer le seul décor pictural qui reste, au mur ouest du chœur : huit magnifiques figures sur deux registres. Sur le registre inférieur se trouvent quatre vieillards de l'Apocalypse assis, tenant une vielle et une fiole à parfums, thème que nous retrouverons au magnifique tympan de Moissac, le long de la troisième route. A droite de ces quatre personnages un apôtre désigné par l'inscription Thomas ; il tient un livre. Au registre supérieur trois vieillards semblables aux autres. Quelle noblesse dans les attitudes, quelle douceur sur les visages, le tout dans une symphonie verte, blanche et ocre rouge. Malheureusement ces tonalités claires disparaissent avec les années et il ne faut pas attendre d'être centenaire pour monter à l'échelle...

« Ce petit clocher couvert de tuiles, ce porche de bois brut », ainsi parlait la Bonne Dame de NOHANT de son église. Celle-ci est en effet fort ancienne et les colonnes qui soutiennent son clocher possèdent des chapiteaux très archaïques, malheureusement revêtus de peinture blanche.

Si je m'écarte quelques instants de l'esprit du Moyen Age pour évoquer l'auteur du « Compagnon du Tour de France », c'est que George Sand s'intéressa à cet esprit et, avec Prosper Mérimée, fit classer ce qui, sans eux, aurait sans doute disparu de nos jours.

A quelques sillons de terres brunes et grasses se trouve l'église de VICQ. Des fresques du XIIe siècle y furent découvertes en 1849 sous plusieurs enduits superposés, et George Sand, avec Prosper Mérimée, réussit à faire classer l'édifice dont les peintures furent entièrement dégagées. Elles sont l'œuvre d'un seul peintre qui manifeste un sens étonnant du mouvement plein de fougue, parfois caricatural, mais qui ne retient des scènes sacrées que l'anecdote et ne témoigne d'aucune sensibilité religieuse. Tous les visages se ressemblent, leurs yeux louchent et ils ont deux taches rouges sur les joues. On pense en les voyant à certaines peintures de Catalogne.

Nous y retrouvons sur le mur nord du chœur la fameuse scène de l'enlèvement du corps de saint Martin à Candes par les moines de Marmoutier dont nous avons déjà parlé sur la première route.

L'église dédiée à saint Martin fut donnée à l'abbaye de Déols (déjà citée) par l'archevêque de Bourges ; sa particularité est que le chœur forme une salle presque isolée de la nef, disposition qui se retrouve dans d'autres églises du Berry.

Geoffroy, vicomte de Bourges, fonda en 1045 une église à l'imitation du Saint Sépulcre de Jérusalem « Fundata est ad foram S. Sepulchri Jerosolimitani ». Ce sanctuaire, aux dires des croisés, contenait un fragment du tombeau du Christ et quelques gouttes de son sang. Là encore ils ont dû se montrer trop crédules. Mais pour les pèlerins de Saint-Jacques qui n'allaient pas aux lieux saints quelle joie de pouvoir prier dans un édifice à l'image du Saint-Sépulcre, à NEUVY SAINT-SÉPULCRE.

De forme circulaire avec collatéral et étage supérieur auquel donne accès un escalier à vis, ce monument qui devait être composé de deux coupoles superposées supportées par deux étages ne fut jamais achevé. mais fut modifié au XIIe siècle par la nef qui y fut ajoutée. A l'intérieur, une série de colonnes isolées décorées de chapiteaux aux animaux imaginaires. Un triforium orné d'une ceinture d'arcatures alternativement aveugles ou percées de fenêtres marque le premier étage. Cette tradition romaine des mausolées circulaires se rencontre ici, mais ce cas n'est pas unique en France. Nous le retrouvons à Sainte-Croix de Quimperlé, et cette rotonde découle de la même inspiration, tandis qu'Aix-la-Chapelle et Ottmarsheim, de forme octogonale, procèdent de l'influence de Byzance.

Nous voici arrivés à Gargilesse où nous allons rencontrer les pèlerins qui ont emprunté la route plus au nord. Par où sont-ils passés ?

De **Vézelay**, ils sont descendus vers la Loire et nous les trouvons à LA CHARITÉ-SUR-LOIRE.

Cette vaste église de style roman bourguignon fut consacrée par le Pape Pascal II, le 8 mars 1106, sous le vocable de la Sainte-Croix. Elle était desservie par des Bénédictins de l'Ordre de Cluny qui furent gratifiés de nombreux dons ; pour marquer que leur unique but était de protéger la misère, ils prirent pour signe héraldique des armes de leur monastère : trois bourses ouvertes surmontées d'une fleur de lys d'or sur champ d'azur. Les nombreuses aumônes qu'ils distribuèrent firent donner à la ville le nom de « La Charité ».

Victime de terribles incendies, l'abbaye eut à subir d'autres assauts. Bourguignonne, elle résista victorieusement durant un mois à Jeanne d'Arc. Les abbés commendataires, au lieu de restaurer l'église, l'amputèrent de la presque totalité de sa nef. Aujourd'hui, le portail est isolé avec sa haute tour nord, couronnée depuis 1505 d'une flèche octogonale en ardoises. A sa base un tympan représente le Christ en gloire entouré d'anges ; au linteau : l'Annonciation, la Visitation, la Nativité et l'Annonce aux bergers.

Le chœur est une merveille ; voûté d'un berceau brisé, il présente au-dessus d'arcs brisés très aigus, supportés par des piliers cylindriques, une galerie aveugle d'arcatures polylobées surmontées de hautes fenêtres. Au-dessus de la croisée du transept s'élève, sur un soubassement carré, une tour octogonale dont l'étage est orné sur chaque face de deux arcs géminés en plein cintre, séparés par une colonnette engagée. On a remonté à l'intérieur de l'église sur le mur du transept sud l'autre tympan de la façade. On y voit la Transfiguration ; au linteau : l'Adoration des Mages et la Présentation au Temple. Ces sculptures présentent de telles similitudes avec les scènes du tympan de la Vierge au Portail Royal de Chartres qu'il faut y reconnaître l'œuvre d'un même atelier. En Ile-et-France s'élaborait le style gothique, avec cette observation de la nature qui allait prendre vie dans la pierre et qui, ici, fait son apparition.

Au nord de l'église de La Charité-sur-Loire un bâtiment de l'ancienne abbaye transformé en café montre encore dans son bar un chapiteau orné du signe héraldique des armes du monastère : trois bourses ouvertes.

Je pense à tous ceux qui emplirent la vaste église de 122 mètres de long et aux nombreuses mains qui se sont tendues vers les bourses ouvertes...

On pouvait, par une bretelle, regagner Nevers. J'ai suivi cette route en automne lorsque la nature, avant de mourir, met du feu aux feuilles de ses arbres et que, le soleil couché, au ciel bleu de nuit s'allume la première étoile. Que de fois ces étoiles ont dû guider nos pèlerins, elles étaient de vraies amies que l'on appelait par leur nom. Je me demande ce qu'elles pensent des robots que le progrès leur envoie.

A BOURGES, les jacquaires pouvaient s'esbaudir devant soixante églises parmi lesquelles une vaste cathédrale à cinq portails et deux latéraux qui sont polylobés comme pour rappeler l'art mozarabe, et qui restent les témoins d'un édifice roman plus ancien.

La cathédrale n'a pas de transept, ce qui donne à l'aspect intérieur de l'église un impressionnant effet de perspective continue. Le portail central possède un tympan justement célèbre où est figuré le Jugement dernier. La science du dessin y rivalise avec la grâce naturelle des attitudes dans les nus comme dans les figures drapées. Les scènes infernales y sont traitées avec une verve particulière.

La cathédrale possède d'admirables vitraux du XIIIe siècle ; ceux qui sont placés au pourtour du déambulatoire et décorent les chapelles rayonnantes sont à la portée de notre regard et faciles à lire. Un Christ de la vision apocalyptique, le glaive entre les dents, les sept sceaux dans la main, flamboyant dans le soleil levant, devait effrayer tous ceux qui n'avaient pas la conscience en paix.

Sous le chœur se trouve une crypte romane, reste du précédent édifice. Cette crypte est entouré d'une autre, circulaire, où se voient quelques vitraux anciens, un Saint Sépulcre et le tombeau du duc Jean de Berry, grand bienfaiteur de sa ville. C'est grâce à ce Jean de Berry que nous avons les « Très Riches Heures » et l'évocation de châteaux aujourd'hui disparus.

Jacques Cœur, habile ministre des Finances ou « argentier » de Charles VII, qui devint le marchand le plus riche de son époque, se fit construire un magnifique palais dans la ville où il vit le jour. Il mit dans ses armoiries la coquille de son saint patron et y ajouta des cœurs avec cette devise : « A vaillans cœurs riens impossible. » Les pèlerins, nous les retrouvons dans les baies surmontées de tympans de l'entrée de l'escalier de la chapelle. Des prêtres préparent les cérémonies religieuses et le pèlerin se mêle aux gens de la maison.

Non loin de Châteauroux, il y avait à l'époque romaine une ville importante appelée Dolus. Le sénateur Léocade avait un fils qui y fut martyrisé et devint saint Ludre. Ils furent enterrés tous deux dans de magnifiques tombeaux de marbre blanc qui existent encore et que l'on peut voir dans la crypte de l'église Saint-Etienne.

Au Moyen Age, Dolus devint Déols et, en 917, une célèbre abbaye y fut fondée pour des bénédictins venus de Cluny. Les guerres de religion dans certaines parties de la France ont été plus meurtrières que la Révolution et les protestants brûlèrent l'abbaye en 1567. Mais il reste le magnifique clocher roman de 55 mètres de haut qui domine ce qui, aujourd'hui, n'est plus qu'un petit faubourg de Châteauroux.

Le porche nord de l'église était encore intact au début du XIXᵉ siècle, mais les ruines de l'abbaye furent adjugées à un entrepreneur qui répandit la plupart des pierres sur les routes. Un fragment du magnifique tympan fut sauvé ; il est exposé au musée des Beaux-Arts de Châteauroux ; il est daté de 1180 environ.

LA SAUVE-MAJEURE
(Gironde) : chapiteaux du
chœur (ci-contre, animaux ;
ci-dessous, pommes de pin
dans des croisillons de
feuillage).

BORDEAUX : sarcophage
gallo-romain du VIᵉ siècle,
dans la crypte de l'église
Saint-Seurin.

NOTRE-DAME-DE-L'ÉPINE :
Saint Jacques en pèlerin, au
croisillon sud.

VÉZELAY : au narthex de la basilique,
saint Jean-Baptiste présentant sur un
disque l'agneau pascal.

SAINT-PÈRE-SOUS -
VÉZELAY (Yonne) :
le châtiment de
l'avarice (XIIIᵉ siècle).

CHABLIS (église Saint-Martin) : fers de chevaux cloués sur les vantaux des portes.

AUXERRE (église Saint-Germain) :
le martyrium de l'église qui renferme
le tombeau de saint Germain,
évêque d'Auxerre.

REIGNY (Yonne) : Le réfectoire
de l'ancienne Abbaye, voûté d'ogives retombant sur une épine de
colonnes centrales.

Que de trésors inconnus et méconnus sont renfermés dans nos musées de province ! Avant la guerre ils étaient presque tous fort mal présentés au public, mais de grands progrès ont été faits pour les rendre plus « vivants ». Il serait cependant souhaitable que chaque ville fasse un effort pour supprimer ce qui n'a aucune valeur, pour retirer la poussière sur ce qui en a et surtout mieux présenter ce qui mérite d'être vu. Nous avons eu en 1957, à Paris, au musée du Louvre, une exposition des chefs-d'œuvre romans des musées de province dont les sculptures, pour la plupart, provenaient de monuments des « routes de Saint-Jacques » et qui ont été pour beaucoup une révélation.

Sur la rive gauche du ruisseau de Céphons, affluent du Nahon, s'élevait Gabbatun, à l'époque gallo-romaine. Saint Martin passant par là guérit un des chefs de municipe de la terrible maladie de la lèpre. Ce chef guéri appela la ville Leprosum (maintenant LEVROUX).

Une léproserie pour les pèlerins de Saint-Jacques y fut fondée. Elle existe toujours, maison en bois ayant des décorations sculptées aux angles ; on peut y voir un lépreux marqué par la terrible maladie et qui se promène avec son gros bâton pour éloigner les « bien portants ».

Coruscule, jeune Romain fiancé à la vierge Rodine, poursuivit celle-ci jusqu'en Berry où elle avait accompagné saint Sylvestre et saint Sylvain qui l'avait baptisée. Pour décourager son prétendant, Rodine se lacéra le visage ; les deux saints la guérirent et Coruscule, devant ce miracle, se convertit à son tour. Saint Sylvain devint le grand guérisseur des lépreux. Une église, construite sur les ruines du palais des gouverneurs romains, lui fut dédiée, mais saint Sylvestre, saint Coruscule, devenu saint Courroux, et sainte Rodine y furent également vénérés avec le souvenir de saint Martin.

Au Moyen Age la crypte renfermait le corps de saint Sylvain ; le chef y est seul resté, le corps a été transporté dans l'église de la Celle-Bruère dont j'ai parlé précédemment. Dans la sacristie nous pouvons voir un très beau christ en ivoire, présent des pèlerins de saint Jacques à l'église de Levroux ; dans l'église existe toujours la « chaise du bourreau », lequel ne devait pas s'asseoir où d'autres s'asseyaient car, bien que faisant son devoir, il gardait sur lui les marques du sang de ses frères...

Cete légende de saint Sylvain était très répandue et, comme la lèpre était un grand fléau du Moyen Age, ce saint était invoqué dans de nombreux endroits. Dans le département d'Indre-et-Loire, l'église de Beaumont-Village menaçait ruine ; elle fut détruite mais cinq personnages, découverts dans les ébrasements des fenêtres du fond du chœur, furent déposés et ces peintures sont actuellement conservées au cloître de la Psalette à Tours. Nous avons visité ce lieu sur la première route. Le premier des personnages est un lépreux tenant d'une main un bâton et de l'autre une crécelle ; le second est Coruscule (son nom est inscrit), le troisième saint Sylvain, le quatrième saint Sylvestre et le dernier saint Martin.

Toutes ces routes, tous ces petits chemins semblent tisser comme la plus belle des toiles d'araignée et le fil qui constitue ses mailles a su créer de la confiance et de la foi dans le cœur de ces hommes qui étaient sûrs que le bonheur était de « croire ».

Nous retrouvons nos pèlerins à GARGILESSE. George Sand a écrit : « Il me semble que mon village ne sera plus mien dès que j'aurai trahi son nom. » Mais, chère bonne dame de Nohant, il y a longtemps qu'il appartenait aux touristes du Moyen Age.

Près de la motte féodale dont il reste une belle porte flanquée de deux tours et un donjon, s'élève l'église, fondée au XIIᵉ siècle, avec ses chapiteaux historiés et sa crypte dominant le ravin. La crypte est ornée de peintures du XVᵉ siècle qui recouvrent certainement d'autres plus anciennes, car on a découvert une fresque représentant trois chevaux et un personnage avec l'inscription « galopin ».

Avant de nous aventurer sur l'unique route indiquée et qui doit nous conduire vers le sud je dois vous signaler une bretelle qui partait de Déols et rattrapait la première route à Charroux.

Cette route passait d'abord à SAINT-SAVIN-SUR-GARTEMPE. De très loin on aperçoit une flèche qui surgit de la croûte terrestre ; elle n'est pas entièrement d'origine. Qui était saint

Savin ? A vrai dire on ne sait rien sur ce titulaire de l'Abbatiale. Sur le mont des trois cyprès on a trouvé un oratoire renfermant un tombeau et des fidèles venant y prier. Comme les bénédictins de Saint-Cyprien de Poitiers se trouvaient également fort ennuyés de ne rien savoir sur leur saint patron, ils ont joint les deux noms et dans la crypte de l'église les fresquistes ont représenté le martyre de ces deux saints tiré d'emprunts aux vies d'autres sanctifiés.

Mais le nom de Saint-Savin résume ici toute la beauté, car elle ne réside pas seulement dans l'art majeur de l'architecture, la sculpture et la peinture l'égalent. Le clocher-porche et sa tribune sont le prologue d'une symphonie qui va éclater dans la nef. A Vézelay, nous avions l'impression d'être envoûtés, ici nous montons comme ces colonnes, qui ont gardé leurs couleurs d'origine, pour une ascension qui nous conduira à une voûte de force et d'harmonie. Ces colonnes marbrées, moirées aux tonalités beige et rose, nous aident à accéder aux scènes tirées de la Genèse et de l'Exode : Création, Moïse, Abraham, Noé, Joseph, la tour de Babel. Mais le Dieu terrible de l'Ancien Testament a fait place ici à son Fils unique, le Christ au nimbe crucifère. Il est transparent, plus haut que les autres personnages, ses attitudes sont nobles, mais nous sentons qu'à la crainte a succédé l'amour.

On peut rester des heures entières en ce lieu que Prosper Mérimée a conservé au regard de tous ceux qui savent redire les paroles du psaume : « Seigneur, j'ai aimé la beauté de votre demeure ». Et si l'on analyse cet élan austère qui semble jaillir du sol, on sent ici que quelqu'un a su insuffler « la vie » à une matière inerte.

Je ne conçois pas qu'une seule personne ne connaisse pas cette église. Je me rappelle avoir fait un jour cette déclaration en public ; le lendemain, un monsieur de quatre-vingts ans venait me demander tous les renseignements relatifs à ce déplacement. Que tous ceux qui liront ces lignes en fassent autant, c'est mon désir le plus cher.

L'ancienne abbaye restaurée est occupée par la gendarmerie, mais il reste le vieux pont du XIIIe siècle, qui a vu passer tant et tant de pèlerins que, dessous, les cailloux roulant sous les eaux de la Gartempe, seraient insuffisants pour les compter.

Au lieu de descendre directement vers Montmorillon, il faut

aller voir l'ancien prieuré de VILLESALEM qui dépendait de Fontevrault. Cet édifice, construit vers 1130, devait être une admirable église des plus caractéristiques du style poitevin. Elle avait été transformée en grange, on avait même percé dans le mur de l'abside centrale une immense ouverture rectangulaire pour permettre aux charrettes de foin d'y pénétrer. Les Monuments Historiques ont racheté ce qu'il était grand temps de sauver d'une ruine définitive. Il faudrait démolir le grand bâtiment qui cache une des arcades latérales sur la face principale pour redonner à cette façade l'ordonnance et l'élégance qu'elle devait avoir. Le mur est revêtu d'une sorte de carrelage d'un bel effet décoratif et nous retrouvons le thème oriental, et non point chrétien, des oiseaux affrontés buvant dans un vase et des lions se mordant la queue. D'heureuses restaurations permettent la résurrection de Villesalem pour oublier ses affreuses blessures et son triste abandon.

Nous allons retrouver la Gartempe à MONTMORILLON. Voici son vieux pont et l'église Notre-Dame. L'église basse creusée dans l'une des grottes naturelles qui creusent la colline est célèbre par ses fresques. A l'abside, une Vierge en majesté dans une gloire en amande baise la main de l'Enfant. Geste maternel ou geste douloureux ? Maternelle, la mère regarderait son enfant ; ici elle le montre comme dans une déposition de croix et baise la main qui sera percée de clous. Les vierges entourent le jeune époux, mais c'est avec Catherine d'Alexandrie, la savante petite jeune fille, que l'Enfant-Dieu se marie. Il ne lui donne aucun anneau, il la couronne. « Sois fidèle jusqu'à la mort et je te donnerai la couronne de vie ». Ainsi est-il dit dans l'Apocalypse. C'est la raison pour laquelle nous chantions naïvement dans notre enfance : « Prends ma couronne, je te la donne, au ciel tu me la rendras ». Ces dites couronnes en fleurs naturelles des Fêtes-Dieu, levées vers le ciel par nos mains souvent malhabiles, revenaient sur notre tête souvent légèrement de travers. Mais revenons au visage de Catherine, autrefois doré ou argenté et qui s'est noirci. La vierge couronnée tient dans sa main gauche un objet rond et blanc qui a toujours intrigué. On a pensé à une petite roue puisque, en effet, Catherine faillit subir l'épreuve de la roue. Puisque les vieillards de l'Apocalypse sont aussi peints sur les côtés, il faut revenir aux sources pour expliquer l'objet. « Au vainqueur je remettrai un caillou blanc et sur ce caillou est écrit un nom nouveau, que nul ne connaît, sauf celui qui le reçoit ». Ces peintures ont déjà un esprit gothique.

Tout en haut du côteau, nous trouvons les bâtiments de la Maison-Dieu, qui furent fondés au début du XIIe siècle, mais dont il ne reste plus grand chose d'origine. Mais le monument le plus remarquable est la chapelle sépulcrale connue sous le nom d'Octogone de Montmorillon, édifice à deux étages. La salle inférieure est voûtée en coupole hémisphérique et communique avec la chapelle supérieure par un orifice. La salle du haut ou chapelle supérieure est voûtée d'ogives à huit nervures ; pas de lanterne des morts au sommet mais les statues placées au-dessus de la porte d'entrée sont extrêmement curieuses. On y devine une Annonciation, une Visitation, des apôtres, deux saintes et deux « Luxure ». La représentation de la Luxure, considérée au Moyen Age comme la mère de tous les vices, est toujours la même : une femme aux seins dévorés par les serpents. Combien cet enseignement visuel devait frapper l'imagination !

Après Montmorillon nous descendons vers Charroux où nous retrouvons la première route. Revenons en esprit à Gargilesse et reprenons notre second itinéraire qui nous conduit à la porte Saint-Jacques de LA SOUTERRAINE.

A cet emplacement un centre gallo-romain : Sostereanea, et l'église de granit est peut-être construite sur un temple païen. Dans la crypte, un énigmatique caveau, un puits et en haut des marches une grande dalle funéraire avec inscription païenne encastrée dans la muraille. La crypte a pu abriter un très vieux culte chrétien d'où le nom de la localité implantée d'abord à Breilh (aujourd'hui Bridiers). Le tout est fort mystérieux et bien difficile à dater.

Mais la terre fut donnée au XIe siècle à Saint-Martial de Limoges et la construction de l'église débuta vers le XIIe siècle. Nous allons entrer avec cette première construction dans le roman limousin.

La façade, avec sa porte en tiers--point à arcade polylobée encadrée de six voûssures alternativement composées d'un simple ressaut et d'un boudin redenté partant du sol, est particulièrement saisissante. Un puissant clocher du XIIIe, remanié au XVe, couronne l'édifice. A l'intérieur, impression de noblesse et de gravité. A la première travée de nef, coupole sur pendentifs courbes avec arcades latérales extra-dossées et surmontées d'une petite ouverture. Les collatéraux très étroits ont fenêtres « limousines » et voûtes d'arêtes sur doubleaux. Le chœur se termine par un chevet droit.

L'abbaye de BENEVENT fut fondée en 1028 par le chanoine Humbert de Limoges. C'est le même portail qu'à la Souterraine : avec avant-corps massif décoré d'une arcade polylobée et de nombreuses voûssures, le tout surmonté d'un lourd clocher orné d'arcades aveugles. On a du mal à évoquer cette puissante abbaye qui gardait les reliques de saint Barthélémy, patron des tanneurs (sans doute parce qu'il a été écorché vif), lesquelles avaient été apportées de « Bénévent » dans le duché de Pouille, en Italie, au moment où les moines avaient dû fuir les conquérants normands. Il ne reste plus que le logis abbatial du XVe siècle restauré et remanié à usage d'école et de mairie.

Mais revenons à l'église qui, comme la Souterraine (ainsi que le Dorat et Saint-Junien, non sur notre itinéraire, mais ces deux églises méritent une visite) possèdent deux coupoles : l'une à la première travée, l'autre à la croisée du transept formant tour-lanterne. Mais, malheureusement, M. Abadie est passé par là. Il devait avoir le complexe du « lanternon » puisque partout où il a restauré une église il en a mis. Nous retrouvons ce même modèle à Angoulême, à La Souterraine, et avec multiplication à Périgueux.

A l'intérieur, même impression de grande unité car l'édifice a été bâti d'un seul jet. De très beaux chapiteaux en granit représentant des motifs végétaux, un griffon aux prises avec des serpents, un masque barbu avec deux bras portant le tailloir.

Nous avons constaté sur la première route qu'il ne reste que d'infimes témoins de la splendeur de Saint-Martin de Tours. De SAINT-MARTIAL DE LIMOGES, copie de la précédente, il ne reste rien.

Martial petit enfant avait distribué les pains et les poissons lors du miracle évangélique ; plus tard, devenu jeune homme, il avait été le maître d'hôtel de la Cène ; nous le verrons représenté sur la voûte de la chapelle de Santa Catalina à Léon, sur la cinquième route d'Espagne.

Imaginons les pèlerins entrant par un clocher-porche, traversant les dix travées de la net à bas-côtés, le transept à absidioles, le déambulatoire avec ses cinq chapelles rayonnantes, assistant à la messe et s'imaginant voir à la place du prêtre saint Martial lui-même. Pour nous consoler d'une telle perte, nous irons voir le pont Saint-Martial (du XIIIe) en nous efforçant de supprimer l'affreuse cheminée plantée juste au milieu du décor. Il nous resterait encore un dédommagement : celui d'aller voir la crypte de la cathédrale qui contient des fresques du XIIe siècle représentant un Christ avec le symbole des évangélistes et la Madeleine à ses pieds, mais les fondations du chœur gothique ont obstrué partiellement cette crypte et, m'a-t-on dit, « elle ne s'ouvre que le jour de l'enterrement d'un évêque ». Seulement — et heureusement — il n'en meurt pas souvent ; encore faut-il, ce jour-là, être à Limoges...

Place de la République, à Limoges, des fouilles ont été faites, une crypte allant du VIe au XIIIe siècles a été redécouverte. On y a trouvé des tombeaux en granit et des sarcophages primitifs, entre autre celui de sainte Valérie, martyre limousine. Sur la dite place les murs retrouvés sont indiqués sur un plan de l'ancienne basilique romane détruite.

A quelques kilomètres de Limoges existe le petit bourg de NOBLAT qui a conservé son aspect archaïque avec ses vieilles maisons et dont les anciens remparts sont remplacés par un boulevard bordé de platanes.

Qui était SAINT LÉONARD ? L'histoire nous dit qu'il était de noble famille franque, qu'il avait été tenu par Clovis sur les fonts baptismaux et instruit par saint Rémy. Il demeura diacre toute sa vie ; épris d'austérité, il gagna par le Berry les solitudes du Limousin et s'installa à quatre lieues en amont de Limoges, sur la rive droite de la Vienne, dans la forêt de « Pavum ». Très vite sa piété et sa charité attirèrent les paysans des environs. Le roi Théodebert possédait une « villa » sur le versant de la vallée et la reine, qui attendait un enfant, était en péril de mort. Par l'intercession de l'ermite, elle eut une heureuse délivrance et le roi promit à Léonard de lui donner tout ce qu'il voudrait. Léonard demanda l'espace dont il pouvait faire le tour la nuit avec son âne. Ce lieu exempté d'impôts s'appela dès lors « Nobiliacum », devenu Noblat (noble présent d'un roi).

A sa mort, il fut enseveli dans l'oratoire qu'il avait fondé, et au xi⁰ siècle on construisit l'église actuelle.

Le clocher qui s'élève sur le flanc nord de la nef est le type le plus parfait du clocher limousin. L'étage inférieur forme un porche de quatre travées disposées autour d'un pilier central. De curieux chapiteaux décorent les colonnes engagées. D'aspect très archaïque, ils représentent des guerriers, des animaux affrontés, des monstres et ce même masque que nous avons déjà vu à Bénévent. Au-dessus s'élèvent trois étages carrés en retrait. Un gâble aigu dissimule le passage du plan carré au plan octogonal qui est celui des deux derniers étages ; le tout est coiffé d'une flèche de pierre. Ce clocher était imité de celui de Saint-Martial de Limoges. Entre le clocher et le transept nord existe un Saint-Sépulcre, et nous retrouvons la rotonde dont nous avons déjà parlé à Neuvy-Saint-Sépulcre. Elle est surmontée d'une coupole portée par huit piliers cylindriques et entourée d'un déambulatoire circulaire sur lequel s'ouvrent quatre absidioles voûtées en cul-de-four. Cet édifice serait de l'an 1100

Sur le déambulatoire se greffent six chapelles rayonnantes éclairées chacune par trois fenêtres et séparées par une fenêtre semblable.

Les reliques de saint Léonard sont placées sur le maître-autel, dans une cage grillée surmontée de sa statue. La cage grillée montre que le saint était le patron des prisonniers ; tous ceux qui étaient libérés venaient lui apporter « menottes de fer, carcans, chaînes, entraves, pièges, cadenas et jougs ». Il était invoqué sous ce vocable : « Salvator captivorum et confractor carcerum » (Sauveur des captifs et briseur de prisons).

Le verrou de la cage jouissait de la réputation d'assurer une maternité prochaine et sans douleur... Aussi de nombreuses femmes venaient-elles le toucher. Bien entendu, Anne d'Autriche s'était fait envoyer des reliques du saint. Depuis Forges-les-Eaux jusqu'à Saint-Michel-de-Frigolet en Provence, en passant par Héricy, en Seine-et-Marne, nous avons le souvenir de cette malheureuse reine qui priait tous les saints et buvait toutes les eaux capables de lui donner un fils.

Saint Léonard, grand saint de « la délivrance », ne pourrais-tu à notre époque libérer les êtres de ce matérialisme qui étouffe tous les beaux sentiments qui sont en eux ! Apprends-leur tout l'argent de l'aurore qui éclate chaque matin, tout l'or du soleil couchant, toute la richesse de la fleur qui s'ouvre, toute la poésie de la pierre...

La folie des reliques était si grande au Moyen Age que, si l'on n'avait le bonheur d'en posséder, on en « créait ». Les moines de Corbigny, dans la Nièvre, faisaient vénérer dans leur église les reliques d'un autre saint Léonard, qui n'était qu'un « faux saint », car c'était le corps d'un certain Léonard venu d'Anjou... Le Guide du pèlerin mettait en garde contre ces abus, car vénérer des reliques... c'est donner des offrandes... et en parlant de ces religieux il conclut : « Ils sont semblables à un mauvais père qui enlève sa propre fille à un époux légitime, pour la donner à un autre... »

Le culte de saint Léonard s'est répandu dans tout l'Occident : en Angleterre (avant la Réforme), en Belgique, en Bavière et en Italie. Des Vénitiens, pèlerins de Noblat en 1106, fondèrent dans les environs le monastère de l'ARTIGE. C'est maintenant une ferme ; la chapelle sert de grange et l'on voit les poules picorer sous les arcades du cloître en ruines.

La vallée de la Briance où se blottit SOLIGNAC est l'une des plus typiques du paysage limousin. La première abbaye fut fondée par saint Eloi, sous la dixième année du règne de Dagobert. Ce couvent aurait été le premier centre de l'orfèvrerie limousine en même temps qu'une pépinière de saints. L'église actuelle est du XIIᵉ siècle, elle est à coupoles du style périgourdin.

Il faudra y arriver le matin lorsque le soleil encore pâle anime les tons du granit, sculpte les plans énergiques du chevet polygonal et découpe dans le ciel le vaste déploiement du transept.

Mais sa vraie beauté réside à l'intérieur. Lorsque nous franchissons la porte et qu'en haut des marches nous voyons la nef unique avec ses pendentifs qui semblent se gonfler pour aboutir à des coupoles, nous nous sentons baigner dans une atmosphère créée par ce grand vide délimité par des murs aux tons chauds et par une luminosité qui nous fait franchir l'espace défini.

Moins vaste que Saint-Pierre d'Angoulême, moins élancée que Souillac, moins audacieuse que Saint-Etienne de Cahors, elle sait nous séduire par ce qui a été si bien résumé par J Vallery-Radot : « Sa beauté est faite de l'harmonieuse combinaison de volumes géométriques, réalisant, avec une franchise qui n'exclut pas l'élégance, la difficile solution d'un laborieux problème d'équilibre. »

En 1460 environ, l'abbé Martial Bony de Lavergne fit mettre des vitraux et des stalles neuves. Il fit peindre à la détrempe un saint Christophe de taille gigantesque qui se détache sur le pilier sud-est de la croisée. Il y a de nombreux petits personnages autour de lui et même un navire qui semble rappeler le secours obtenu par le saint lors d'un péril en mer. Cet exemple n'est pas unique, nous le retrouvons à Lassay-sur-Croisne, en Sologne, également en peinture ; en statue de bois dans l'église d'Avénières, près de Laval ; dans les cathédrales d'Espagne il est généralement peint sur le mur avec une stature impressionnante. Et je pense aussi à la statue colossale de saint Christophe qui existait au bas de la nef de Notre-Dame de Paris et que nos Jacquaires devaient regarder longuement pour « partir rassurés ».

Les murs extérieurs rappellent la décoration de l'intérieur avec cette succession de baies et d'arcatures aveugles ; elles évoquent l'art « mozarabe » diffusé par le pèlerinage et dont nous avons déjà vu des exemples aux portes polylobées de diverses églises. Il reste sur le flanc sud l'entrée du cloître avec un arc brisé reposant sur deux très beaux chapiteaux : l'un est à entrelacs, l'autre à feuilles côtelées à souples tiges surmontées de dents de scie.

Au croisillon nord, sous la fenêtre « limousine » est enchâssé un panneau de pierre calcaire représentant le Christ en majesté entouré de quatre petites niches superposées deux à deux. Celles du haut sont seulement habitées par un ange mutilé et un aigle majestueux ; quant au lion et au bœuf, ils ont disparu, le premier ayant dû avaler le second...

Au revoir avec regrets à Solignac. Reprenons la route et arrêtons-nous à la vaste collégiale de SAINT-YRIEIX.

Arédius, l'un des grands abbés du Limousin, fonda au VIe siècle un monastère rattaché à Saint-Martin de Tours. De l'église romane construite au XIe siècle, il ne reste que le massif occidental qui va faire transition avec la construction gothique : c'est-à-dire entre le parti du clocher-porche et celui qui incorpore la tour à la première travée. C'est un jalon vers le type de façade de Saint-Junien et du Dorat. Celui-ci est un clocher-porche massif et trapu qui n'a pas encore l'originalité des deux autres.

Le portail central a une belle porte en tiers-point surmontée d'une rangée d'arcatures avec, au centre, un Christ bénissant, et au-dessus trois fenêtres désaxées. Il faut aller voir à la sacristie ce qui demeure du trésor, entre autres une châsse du XIIIe et le chef de saint Yrieix (ou Arédius).

Hélas ! il ne reste plus rien des vieilles maisons qui avaient vu défiler la foule ; les Ponts et Chaussées les ont démolies pour le passage de la route de Chalus. « Mon Dieu, pardonnez-leur, car ils ne savaient pas ce qu'ils faisaient... »

THIVIERS possède une intéressante église romane du XIIe siècle, primitivement à coupoles sans doute, mais remaniée et restaurée. Elle a gardé de beaux chapiteaux à la croisée du transept d'un style un peu archaïque ; on y voit saint Pierre et ses clefs, et sur deux autres des monstres engoulant des hommes. Ces deux derniers en rappellent deux à peu près identiques à San Isidoro de Léon ; aussi l'on se demande s'il n'existait pas des Ymagiers ambulants ?

Allons faire un petit détour à l'ouest pour réveiller un ensemble charmant de toitures bosselées de tuiles rousses et une étonnante église dans une robe de bure grise et ocrée, plus un château hanté par le souvenir de ses seigneurs : c'est SAINT-JEAN-DE-COLE.

L'ancienne église paroissiale, sous le vocable de Saint-Jacques-le-Majeur, était sur la rive droite de la Côle, en face du prieuré ; il n'en reste rien. Le prieuré fut fondé par l'évêque de Périgueux, Raynaud de Thiviers, au XIe siècle. Les évêques, comprenant la force des grandes abbayes du Moyen Age, ont eux-mêmes favorisé leur développement en les aidant de leur influence matérielle et même en fondant des prieurés. Celui-ci semblait dépendre de l'abbaye bénédictine de Charroux que nous avons déjà visitée (du moins ce qu'il en reste) sur la première route. Pourtant, Saint-Jean-de-Côle adopta la règle de Saint-Augustin et, après qu'il fût passé en commende, entra dans la congrégation des Génovéfains au moment de la réforme religieuse du XVIIe.

L'édifice est d'un plan insolite unique en Périgord. Il se compose d'une nef d'une seule travée carrée, suivie d'une abside entre deux chapelles rayonnantes. La coupole centrale passait pour être la plus grande après celles de l'église de la Cité (Saint-Etienne) à Périgueux. Les coupoles de Saint-Front venaient après. Malheureusement, insuffisamment soutenue, cette coupole de 11 m 60 de diamètre s'effondra en 1787, puis en 1860. Les chapiteaux extérieurs des absidioles sont remarquables et il reste également du cloître du XVIe siècle cinq arcs du côté sud et quatre sur le côté oriental. Les deux autres côtés ont disparu. Saint-Jean-de-Côle laisse un souvenir empreint de charme et de douceur.

Les reliques étant à la base de presque toutes les fondations religieuses, comment ne pas se rendre à BRANTOME où, dit-on Charlemagne aurait fondé une abbaye sur les reliques de saint Sicaire (l'un des Saints Innocents) ?

L'église ancienne, abbatiale bénédictine, a été tellement restaurée par Abadie que son étude archéologique en est devenue impossible. Le cloître du XVe qui précède le portail du XIIIe a été aux trois-quarts amputé ; le grand corps de logis du XVIIIe, défiguré par un fronton central, conserve ses pavillons d'angles de bonne architecture.

L'abbaye fut mise en commende en 1504. Parmi ses abbés commendataires figure Pierre de Bourdeilles, connu sous le nom de « Brantôme », auteur des « Dames galantes » ; Henri-Léonard Bertin, qui construisit les bâtiments abbatiaux subsistant et qui en même temps était seigneur de Chatou, fit faire la fameuse nymphée par l'architecte Soufflot.

L'abbatiale avait été construite adossée à des falaises calcaires de faible hauteur ; son clocher s'élève sur un rocher au-dessus d'une grotte et légèrement à l'écart de l'église. Il peut être considéré comme l'ancêtre des clochers à gâbles et le prototype de ceux dont nous avons parlé à Saint-Léonard, Saint-Junien et Saint-Martial de Limoges.

Sa base surplombe de douze mètres le sol de l'abbatiale. Il possède quatre étages en retrait coiffés d'une pyramide de pierre quadrangulaire. Le rez-de-chaussée renferme une salle dont un mur est accolé à la colline, les trois autres murs sont percés de baies en plein cintre. Une très curieuse coupole couvre cette pièce : le passage du carré à l'ellipse est obtenu par des voûtains triangulaires, retombant sur des colonnes antiques en marbre rouge dressées en avant des piles rectangulaires. Le premier étage est éclairé par deux fenêtres en plein cintre renfermant deux baies jumelles séparées par une colonnette ; le deuxième est percé d'une seule baie en plein cintre surmontée d'un grand gâble aigu ; le troisième est orné de frustes arcatures, et le dernier étage de quatre petites baies en plein cintre. L'ensemble est une magnifique construction de la fin du XIᵉ siècle que l'on ne se lasse pas de regarder.

Mais le charme de Brantôme, c'est l'entrée d'un pont coudé, sur la Dronne aux eaux vives, qui conduit au jardin des moines, aujourd'hui jardin public. Agrémenté de beaux ombrages, celui-ci réserve de ravissantes perspectives. Il est pourvu de reposoirs Renaissance et l'on imagine les calmes promenades de ces moines et de ces abbés qui venaient y méditer le massacre des Innocents ou la vérité saisissante des mœurs de l'époque...

Au-dessus de l'Isle et se réflétant dans le cours d'eau s'élève la cathédrale SAINT-FRONT DE PÉRIGUEUX. Je ne puis comprendre que le quai droit de la rivière soit converti en dépôt de camions, d'ailleurs toujours peints en rouge vif (attention délicate à l'égard des photographes) mais absolument inesthétiques.

Dans cette boucle que forme l'Isle, une ville gallo-romaine se fonda, dont la prospérité ne fut jamais égalée aux époques suivantes. Le catholicisme y fut prêché par saint Front, sur le tombeau duquel furent érigés un oratoire au VIᵉ siècle, puis vers la fin du Xᵉ siècle une abbaye. L'église actuelle, aujourd'hui cathédrale, remplace celle qui a été incendiée en 1120 et dont une partie des murs fut utilisée. Saint-Front est une importation orientale. Elle rappelle Saint-Marc de Venise qui venait d'être achevée et qui elle-même imitait l'église des Saints-Apôtres, de Constantinople, aujourd'hui disparue.

Cet édifice, avec son clocher formant porche, fut bâti sur un plan de croix grecque et couvert par cinq coupoles. A l'intérieur de l'église on retrouve l'influence byzantine sans parvenir toutefois à ressentir ce qu'ont exprimé les Byzantins dans leurs monuments : la matière vraiment dématérialisée. Cependant son absolue nudité, l'harmonie des volumes parfaitement équilibrés, les énormes piliers coupés en croix par des passages ou logeant des chapelles produisent une forte impression.

Le guide des pèlerins de Compostelle célébrait la splendeur du tombeau de saint Front, que Guinamond, moine de la Chaise-Dieu, avait exécuté en 1077 « en forme de rotonde, comme le Saint-Sépulcre » et qui surpassait en beauté « toutes les tombes des autres saints ». Ce tombeau fut détruit par les protestants au XVIᵉ siècle et les coupoles furent, à une époque indéterminée du Moyen Age, remplacées par un toit. Au XIXᵉ siècle, M. Abadie les remit mais son complexe du « lanternon » atteint ici son apogée de libération car il en a mis partout. Aussi cette invention fait-elle de ce sanctuaire un pastiche rigide et sans âme.

Mais pour retrouver l'esprit du Moyen Age, il faut aller dans la sacristie voir : l'ancienne confession Saint-Front, les deux galeries XIIᵉ du cloître qui subsistent, la salle capitulaire, et admirer le long des murs du cloître quelques chapiteaux originels et d'anciens frontons du clocher où s'inscrit « l'œil de Dieu ».

Allons maintenant à une bonne lieue nord-ouest du « Moûtier de Saint-Front » nous plonger dans l'atmosphère d'une symphonie pastorale. En 1120 un moine de l'abbaye charentaise de Cellefrouin, nommé Foucault, pénétra dans un vallon sauvage et solitaire où bruissait entre les fougères une petite source. Le silence de la terre, le murmure de l'eau décidèrent le moine à quitter son couvent pour fonder en ce lieu si près de l'harmonie céleste un ermitage. La fontaine fut entourée d'une grille de fer (cancellata) ; elle donna son nom à une première poignée de moines qui se joignirent à Foucault pour fonder un monastère : CHANCELADE.

Le XIIIᵉ siècle vit son apogée, mais les Anglais passèrent par là. Il fallut attendre le XVIIᵉ siècle pour la restauration de l'abbaye par un jeune moine qui devint illustre : Alain de Solminihac. Il fut fidèle à sa devise — « aussy bien que se peut, jamais rien à demy » — et outre la réparation des dégâts matériels, il fit de Chancelade le berceau d'une réforme monastique qui a sa place marquée dans le grand mouvement religieux du XVIIᵉ siècle.

Entrons par la porte charretière et cavalière ; l'église est à notre droite, à gauche le cuvier, le cellier ; en face, l'ancien moulin qui enjambait la dérivation de la Beauronne ; et au milieu, la source coulant dans un bassin où se reflètent, à l'heure de midi, les bâtiments conventuels reconstruits sur des substructions du xiie et qui possèdent un charmant portail de la fin du xve siècle, ainsi que deux tourelles. L'église abbatiale est devenue l'église paroissiale, et quelques gens de goût ont su défricher le jardin abandonné et rendre les pierres à la caresse du soleil. J'y suis venue un jour de printemps ; le silence était rompu par la grande voix de J.-S. Bach qui sortait d'une pièce meublée avec art : « Wacht auf » — « Eveillez-vous » disait la cantate. Eveillez-vous, les vierges folles qui avez laissé vos lampes s'éteindre ; éveillez-vous, écho du passé, pour redonner à tous ceux qui viendront jusqu'ici le désir de faire silence en eux-mêmes afin de retrouver la vraie joie d'écouter le murmure de la source...

Au-delà du mur de l'abbaye s'élevait l'ancienne église paroissiale aujourd'hui désaffectée. Cette chapelle Saint-Jean serait de 1147. Sa façade est du type saintongeois avec son portail en plein cintre formé de trois rangs de claveaux et sa jolie fenêtre prise sous le pignon et surmontée d'un médaillon représentant l'Agneau pascal. L'abside semi-circulaire très simple est fort belle avec son cordon mouluré, ses contreforts-colonnes et sa corniche à modillons.

Nous allons traverser la Dordogne après l'admirable paysage du « cingle de Trémolat » et arriver à l'ancienne abbaye cistercienne de CADOUIN. Elle fut fondée en 1115 et s'affilia l'année suivante à l'ordre de Cîteaux. L'évêque du Puy, Adhémar de Monteil, rapporta d'Antioche un suaire trouvé dans un mur de l'église et considéré comme le saint Suaire du Christ. Cette relique fut donnée aux moines de Cadouin et assura la prospérité de l'abbaye. Au xive siècle, le pays fut ravagé par des bandes anglaises, et la relique déposée à Toulouse, dans l'église du Taur. Le calme revenu, les moines réclamèrent leur dépôt mais durent employer la ruse pour reprendre le suaire. Devant de nouveaux périls, il repartit pour l'abbaye d'Obazine, en Corrèze, qui, après la tourmente, ne voulut pas le rendre. Louis XI dut intervenir. En 1934 on a constaté (un peu tardivement) que le suaire portait dans la bordure « des caractères coufiques » et qu'il était donc postérieur de plusieurs siècles à la Passion. De plus n'y a-t-il pas déjà un saint Suaire à

Turin, gardé dans une chapelle du Dôme ? Une chose est certaine : c'est que cette relique attirait les foules et la prospérité dans les abbayes puisque, lorsqu'elle était en dépôt, on ne voulait plus la rendre. Pour mon compte personnel, ce précieux tissu à l'inscription musulmane m'importe peu quant à son origine, mais il me confirme une fois de plus les relations intenses des pèlerins se rendant en Espagne et l'apport de ce pays sur les chemins français de Saint-Jacques.

La face de l'église est austère et massive. Au rez-de-chaussée un porche à quatre rouleaux en plein cintre ; le côté gauche s'orne de deux arcatures aveugles. A l'étage, trois grandes baies également en plein cintre ; la partie supérieure est décorée d'une ligne d'arcatures aveugles. Le clocher en charpente recouvert d'ardoise s'élève à la croisée du transept. Mais la grande curiosité de Cadouin c'est son cloître, qui date du XII° siècle, mais fut refait à partir de 1468 par l'abbé Pierre de Gaing, celui qui avait dû employer la ruse pour récupérer le suaire.

Dans ce cloître, le gothique se laisse aller à la fantaisie la plus originale et la plus libre. Des quantités de petits personnages s'animent depuis les clefs de voûtes jusqu'aux bases des colonnes. Ils ne représentent pas seulement des sujets religieux, mais aussi des proverbes, des dictons ; ils étaient là pour divertir les moines qui n'avaient plus rien à cette époque de la gravité des Cisterciens et s'apparentaient davantage à l'esprit rabelaisien, fait de finesse et de saveur et qui demeure l'esprit bien français. La galerie la plus exposée au soleil a conservé le banc où s'asseyaient les moines ; il est coupé en son milieu par le fauteuil aux bras de pierre de l'abbé. Au-dessus de lui sont sculptées des scènes de l'Ancien et du Nouveau Testament, sérieuses mais pittoresques et familières et prolongées à droite par une remarquable Vierge de l'Annonciation peinte à la fresque.

Le souvenir des Jacquets est conservé là par les nombreuses coquilles qui timbrent l'une des portes du cloître.

Après Bergerac avec son hospice et son église Saint-Jacques, on atteignait les Landes. Et c'est la même description donnée par le guide pour la première route, « marécageuses et infestées de taons ».

SAINT-JEAN-DES-BONSHOMMES (Yonne) : le Prieuré,

AVALLON : statue au portail de Saint-Lazare.

MONTRÉAL (Yonne) : entrée de la collégiale.

NOIRLAC (Cher) : un coin du cloître.

SAINT-PIERRE-LE-MOUTIER (Nièvre) : portail nord (ci-contre).

CHATEAUMEILLANT (Cher) : portail sud de l'église Saint-Genès.

LA CHARITÉ-SUR-LOIRE (Nièvre) : mur du transept sud.

SAINT-SAVIN-SUR-GARTEMPE (Vienne) : la nef et sa voûte peinte.

LEVROUX (Indre) : détail de l'ancienne léproserie, un lépreux.

L A SOUTERRAINE (Creuse) :
la crypte et son puits.

CHANCELADE (Dordogne) : tours
clocher de l'ancienne abbaye.

Quand nous fûmes dans les Landes
Avions l'eau jusqu'à mi-jambes
Moi et tous les compagnons,
Pour accomplir le voyage
A Saint-Jacques-le-Baron...

Et les pèlerins s'acheminaient vers Ostabat où ceux qui venaient de Paris les retrouvaient pour franchir ensemble la montagne.

Ostabat n'est plus qu'un aimable village basque de cent maisons groupées autour d'une église moderne. Rien n'y vient rappeler la crainte, la joie et aussi la fatigue de ceux qui allaient franchir les Pyrénées.

Ainsi s'achève cette seconde route.

TROISIEME ROUTE

C'est à l'époque où la sève monte et où la nature donne à toutes les créatures une vigueur nouvelle, c'est-à-dire aux environs de Pâques — qui était, jusqu'à la fin du XVIᵉ siècle, situé aux premiers mois de l'année — qu'avait lieu le départ depuis l'un des sites les plus extraordinaires de France : LE PUY-EN-VELAY.

C'est en 951 que le premier pèlerinage partit de cette cité sous la conduite de son évêque Godescale. Et il est encore facile au XXᵉ siècle de revivre, en ce lieu unique, l'atmosphère de cette foule de pèlerins à travers le grouillement et l'animation de foire. Tous les éventaires étaient dressés dehors ; on circulait entre les maisons exiguës et obscures et enfin l'on gravissait à genoux les deux cent soixante marches du gigantesque escalier de lave qui conduit au porche de l'église d'où les yeux contemplent un immense panorama.

Dans une riche plaine en cuvette se dressaient d'énormes pitons volcaniques. Sur les flancs de l'un d'eux, le mont Anis, appelé maintenant le rocher Corneille, les Gaulois se sont installés. Après eux, les Gallo-romains ; le nom « Anis » viendrait peut-être de la déesse égyptienne Isis, dont le culte fut introduit dans l'empire romain et qui exerça une grande séduction par l'éclat et aussi le mystère de ses cérémonies.

Mais du culte druidique il nous reste un vivant témoignage : une dalle de pierre noire qui se trouve toujours en haut des marches, à l'entrée de l'église. Combien les premiers prédicateurs de l'évangile étaient habiles ! Au lieu de détruire les divinités païennes, ils les ont christianisées. Ne trouve-t-on pas un puits sacré de l'époque gauloise dans la crypte de Chartres ? Un menhir devant la cathédrale du Mans ? Le dolmen du Puy fut appelé « la pierre de la fièvre » et des milliers de malades s'y sont couchés en invoquant la nouvelle Isis : la Vierge Marie. D'ailleurs ne disait-on pas que c'était saint Louis qui avait ramené d'Egypte la statue de la Vierge noire et qui en avait fait don à la cathédrale du Puy ? Elle était en bois de cèdre, assise et tenant son Enfant sur ses genoux. Sa face était allongée, son nez démesuré, ses yeux étaient en verre et la statue était recouverte de toile peinte collée comme celle des momies égyptiennes.

On a beaucoup parlé du pourquoi des Vierges noires. Dans le « Cantique des cantiques » il est dit : « *Nigra sum, sed formosa* » (Je suis noire, ce qui ne m'empêche pas d'être belle). Marie aurait-elle appartenu à la race noire ou les sculpteurs auraient-ils pris les termes du cantique à la lettre ? Il faut croire plutôt que les Vierges anciennes qui étaient exposées à la vénération des fidèles étaient noircies par la fumée des cierges, patinées par les siècles et quelquefois recouvertes de couches de goudron pour conserver le vieux bois.

Avant cette statue apportée au Puy au xiiie siècle, il devait en exister une autre qui a disparu. Si à Chartres, Marie était invoquée sous le nom de « Virgo paritura » (la Vierge qui doit enfanter), au Puy c'est le souvenir de l'Annonciation qui fut choisi. Que ce soit l'éléphant blanc (signe de pureté) qui vint s'incarner dans Maya la future mère du Bouddha, ou la conception toute mystique d'Hathor pour Horus au même titre qu'Isis, la mère d'une divinité ne peut être que vierge. C'est ce mystère que Rutebœuf, trouvère du xiiie siècle, met dans la bouche du clerc Théophile : « Comme en la verrière entre et sort le soleil qui ne l'entame, ainsi Marie tu fus entièrement vierge, quand Dieu qui était aux cieux te fit mère et dame. »

Mais il était impossible au Moyen Age d'admirer les statues de la Vierge, car elles étaient toujours recouvertes de splendides manteaux richement brodés où s'enchâssaient les pierreries et qui ne laissaient apparaître que la tête de la mère et de l'enfant. De nos jours on s'efforce de les faire admirer telles qu'elles sont sorties de la main du sculpteur lorsque l'on a la chance d'en posséder qui soient d'époque : mais il y a encore certains messieurs curés timorés ou traditionnalistes qui ne veulent pas les déshabiller...

La Vierge du Puy était couronnée, comme son fils d'ailleurs, mais elle portait une sorte de « casque » enrichi de cabochons au-dessus duquel le Saint-Esprit était représenté sous la forme d'une colombe, rappel du mystère de l'Incarnation. « La vertu du Très Haut vous couvrira de son ombre. » Cependant la sainte image dépouillée de ses richesses fut jetée au feu en 1794 et les témoignages rapportent que lorsque les toiles enduites de couleur qui la recouvraient brûlèrent, en produisant un feu bleuâtre, il s'ouvrit une petite porte sur son dos et il sortit de la cavité une espèce de parchemin roulé en forme de boule... Les quatre vents du ciel ont tout dispersé : cendres de la statue et du parchemin, ainsi que les regards ardents et les mains jointes de tous ceux qui durant cinq siècles se sont prosternés devant une matière inerte appelée à disparaître... Une autre Vierge noire a pris la place de la précédente mais cette dévotion mariale n'a pas besoin d'effigie pour exister, elle est au cœur de tout homme « l'éternel féminin » et Paul Claudel, dans un des poèmes de guerre 14 l'a bien défini :

Parce que vous êtes la femme, l'Eden de l'ancienne tendresse
*   [oubliée*
Simplement parce que vous êtes Marie,
Simplement parce que vous existez ;
Mère de Jésus-Christ, soyez remerciée !

La cathédrale actuelle a un chevet, un transept et deux travées de nef de la fin du XIe siècle, tandis que les quatre travées qui suivent, le grand porche et la façade sont du XIIe. Le vrai miracle du Puy n'est-il pas les audacieuses arches jetées sur l'abîme pour servir d'assise à cette façade massive et harmonieuse tout à la fois ? Tout autour d'elle c'est une véritable couronne de cratères éteints, et c'est cette brèche volcanique que les maîtres d'œuvres ont employée pour la construction de l'édifice.

On parle au Puy de l'influence byzantine, à cause de l'emploi de coupoles et de la décoration en mosaïques. Mais la plus grande influence est celle de l'art islamique. En Espagne à cette époque les fils du Prophète avaient influencé l'art des chré-

tiens et il s'était formé de ce mélange un art nouveau appelé
« mozarabe ». Nous le retrouvons sur la façade avec l'alternance
des claveaux blancs et gris, les trilobés qui ornementent plusieurs de ces arcs et surtout la polychromie de son sommet.

Nous avons gravi le grand escalier et nous voici avec à droite
et à gauche une porte de bois à l'aspect vétuste, dont le bas
a été léché par les flammes. Elles donnent accès à deux
anciennes chapelles maintenant désaffectées : celle de droite
était dédiée à saint Martin, celle de gauche à saint Gilles. Dans
la première il y avait des fresques relatant la vie du thaumaturge des Gaules.

Les vantaux de ces deux portes sont curieusement sculptés.
Ils retracent en de petite panneaux les différentes phases des
mystères de l'Incarnation et de la Rédemption. Ces deux portes
du XIIe siècle ont certainement été exécutées par un chrétien
travaillant selon la technique arabe car les différentes scènes
sont seulement silhouettées, aucune figure n'est en relief et
l'explication en est donnée par « la bordure qui semble un
simple ornement et qui est en réalité une inscription en caractères coufiques : « Al Mulklilah », « Souveraineté à Allah »
(M. Viré). Le Coran n'a fait que reproduire la prescription
contenue dans le livre de l'Exode (XX, 4) : « Tu ne feras pas
d'image taillée. » Même si cette curieuse inscription ne nous
avait pas décelé l'origine mauresque du sculpteur, nous aurions
pu la soupçonner grâce à un autre indice : au lieu de se
dérouler de haut en bas, les scènes se succèdent de bas en
haut ainsi qu'ont coutume de le faire ceux qui se servent de
caractères arabes.

C'est dans la conception de l'habitation romaine qu'il faut
chercher l'origine de nos cloîtres. Celui du Puy procure une
impression de force et de majesté. Une mosaïque, formée de
losanges blancs, noirs et rouges, décore le mur au-dessus des
arcades tandis qu'une corniche d'une surprenante richesse
complète la décoration. Les claveaux des doubles arcades sont
alternativement noirs et blancs. En les contemplant, on évoque
la mosquée de Cordoue dans la partie des multiples arcades
de son intérieur qui la font ressembler « à une forêt de pal-
miers dans une oasis du désert ». A Cordoue, la pierre blanche
alterne avec la brique rouge ; au Puy, la brique est remplacée
par la lave.

On compte 153 chapiteaux dans le cloître ; une quinzaine seulement sont historiés, les autres sont ornementaux. Je n'en citerai qu'un seul qui représente un moine et une moniale mettant la main en même temps sur la crosse car, de chaque côté, un démon leur fait miroiter les honneurs et la gloire d'être abbé et abbesse. La grille en fer forgé qui ferme la galerie occidentale est une œuvre d'art d'un seul vantail contenant quatre traverses séparées par des montants entre lesquels se déploient des rinceaux très artistement disposés. Il reste malheureusement très peu de ces clôtures en France : celle de Conques dont nous reparlerons, celle de l'abbaye d'Ourscamp qui est au Musée Le Secq des Tournelles à Rouen, une au chœur de Saint-Cerneuf-de-Billom (Puy-de-Dôme), une autre à Saint-Aventin (Haute-Garonne) et celle qui paraît être la plus ancienne, qui provient de Morigny et qui est au Musée d'Étampes.

Dans la salle des morts, ancienne salle capitulaire donnant dans le cloître, sur le mur de fond, est une grande peinture représentant la Crucifixion. Au-dessus de la Croix, le soleil et la lune portés par des anges ; aux côtés du Christ, la Vierge et saint Jean. Autour, à mi-corps, trois prophètes : Osée, Isaïe, Jérémie et un philosophe juif nommé Philon. Ils tiennent devant eux des inscriptions qui sont une partie du texte de leurs prophéties. Cette peinture fait penser à une mosaïque byzantine ; les surfaces qui bordent la croix, les auréoles, les encadrements sont semés de creux et d'aspérités qui donnent l'illusion de petits cubes de verre dont les inégalités font jouer la lumière. Cette fresque est du début du XIIIᵉ siècle.

Dans l'absidiole nord du transept de la cathédrale, placée sous la tribune, une autre peinture ne laisse voir aucune trace d'influence byzantine ; elle appartient au style de la miniature française. Elle représente le martyre de sainte Catherine d'Alexandrie. La sainte est placée à l'intérieur d'une roue dont les rayons sont munis de lames coupantes, ces mêmes lames qui vont tuer ou blesser ceux qui avaient préparé son supplice.

Il y a encore d'autres fresques, mais la plus célèbre est celle qui se trouve dans la tribune au-dessus du martyre de sainte Catherine et qui représente un Saint-Michel de 5 m 55 de haut terrassant le dragon. Il est vêtu du costume d'apparat byzantin, avec le loros : longue écharpe couverte de plaques d'or et de pierres précieuses. Saint Michel étant apparu sur les hauteurs, on ne pouvait l'honorer autrement que dans les parties hautes des églises. A Cluny, à Saint-Benoît-sur-Loire, à Tournus, à Saint-Julien-de-Brioude, à Saint-Laurent-d'Auzon existait une chapelle dédiée à saint Michel. Mais nous avons ici la figure la plus colossale que nous connaissions en France.

Dans la bibliothèque on dut, au xve siècle, représenter au grand complet les sept Arts Libéraux ; il n'en reste plus que quatre : la Grammaire dicte à Priscien, la fameux grammairien du vie siècle, et écoute la récitation de la leçon de deux enfants ; la Logique regarde Aristote assis à ses pieds ; la Rhétorique a, à sa gauche, le grand orateur romain Cicéron ; la Musique joue d'un orgue portatif tandis que Tubalcaïn frappe sur une enclume. L'Arithmétique, la Géométrie et l'Astronomie n'existent plus, et aux noces de Mercure et de la Philosophie, quatre vierges ont disparu. C'est encore Mérimée qui redécouvrit cette peinture murale et entreprit de la faire restaurer.

Bien entendu, Cluny avait laissé son souvenir dans ce haut lieu d'où partaient les pèlerins ; et la mémoire de l'illustre abbé Mayeul « plus grand que les souverains de son temps par l'âme et l'intelligence », venu au Puy en 950, était perpétuée par la construction d'une tour portant son nom. Elle fut démolie au xixe siècle car elle menaçait ruine.

Le deuxième rocher qui frappe notre regard est tellement pointu qu'on l'a surnommé « Aiguilhe ». Bien entendu, la chapelle qui y fut construite ne pouvait être dédiée qu'à saint Michel en souvenir de l'apparition sur le mont Gargano en Italie, concrétisée aux confins de la Bretagne et de la Normandie par le célèbre Mont Saint-Michel.

Les pèlerins qui venaient honorer saint Michel rencontraient au pied du rocher une petite chapelle en l'honneur de saint Gabriel, le messager de l'Annonciation et, au milieu des escaliers, un minuscule oratoire adossé à la roche où saint Raphaël, le patron des pèlerins, était salué. N'avait-il pas acommpagné le jeune Tobie au pays des Mèdes ? Ce rocher était vraiment celui des Archanges et sa montée toute céleste ressemblait à l'échelle de Jacob.

Sur le chemin qui mène à l'ascension de Saint-Michel-d'Aiguilhe existait l'hôpital Saint-Nicolas qui avait pour chapelle le charmant petit monument désigné actuellement sous le nom de chapelle Saint-Clair et que l'on continue à appeler « temple de Diane ». Son décor est également tout arabe.

Mais la plus grande séduction artistique du Puy est incontestablement la façade de la chapelle Saint-Michel. Elle se compose d'une porte très ouvragée encadrée de deux colonnettes ; l'un des chapiteaux qui les surmontent représente deux diacres, l'autre des aigles aux ailes déployées. Sur le linteau de la porte deux magnifiques sirènes s'apprêtent à lancer leurs filets. Elles sont le symbole de la tentation mais figurent généralement à l'extérieur des édifices, leurs voix enchanteresses ne franchissant pas le seuil des saints lieux. Il y a deux sortes de sirènes : sirène-poisson et sirène-oiseau ; ce sont ces dernières qui ont tenté Ulysse. Aucune décoration au tympan mais au-dessus de l'arc roman, un arc trilobé représente dans le lobe central l'Agneau de Dieu et, dans les deux autres, huit des vieillards de l'Apocalypse, la place manquant pour représenter ceux-ci au grand complet. Au-dessus c'est le déploiement d'une véritable mosaïque formée par des losanges rouges et blancs se détachant sur un fond noir et reliée par des filets teintés de rose. La corniche est surmontée d'un petit oculus asymétrique par rapport à la façade mais placé sur le milieu de la tribune intérieure et l'éclairant. Les cinq arcades du haut représentent : le Christ entre l'alpha et l'oméga, la Vierge, saint Jean, saint Michel et saint Pierre. Si nous savons faire abstraction de l'humain, cet ensemble nous transporte en Orient et tout l'Islam est là présent comme l'eût souhaité Henri de Régnier.

> *Mais qu'importe sa vie à qui peut par son rêve*
> *Disposer de l'espace et disposer du temps*
> *Qu'importe, puisque j'ai d'une illusion brève*
> *Satisfait à jamais mon désir d'un instant...*

Franchissons la porte d'entrée, entrons dans le narthex. Nous voici dans un déambulatoire qui se compose de neuf travées aux voûtes d'arêtes irrégulières. La peinture de la voûte est du XIIe ; elle représente un jugement dernier mais les coloris se sont beaucoup atténués et, comme la lecture en est difficile, l'impression ressentie est celle d'une voûte semée de fleurs bleues, rouges et jaunes, cueillies depuis des siècles et qui se sont séchées au ciel de la grotte...

En revenant du pèlerinage à Compostelle, l'évêque Godescale du Puy consacra, en 962, la chapelle Saint-Michel-d'Aiguilhe. En 1962, de grandes manifestations ont célébré ce millénaire, l'archevêque de Compostelle invité, est venu mille ans après, rendre sa politesse à l'évêque du Puy.

En redescendant, il faudrait quitter Le Puy sans se retourner pour ne pas voir le rocher Corneille, ce cône appartenant sans doute au volcan dont le rocher Saint-Michel était la cheminée. Sur une plate-forme de cette brèche volcanique on a érigé une statue colossale de la Vierge tenant son Enfant qui bénit la ville. Cette statue de Notre-Dame-de-France a été faite avec « le fer conquis sur les Russes à Sébastopol et donné par Napoléon III » ; comme toutes les statues colossales elle dépare le magnifique panorama ; les seules qui sont belles parce qu'elles font corps avec la roche, ce sont celles d'Abou-Simbel en Basse-Nubie ; toutes les autres, disproportionnées avec le paysage avoisinant, n'inspirent aucune crainte provenant de leur grandeur, aucune puissance par leur domination. La Vierge du Puy n'est vraiment la plus grande Dame de France que dans sa cathédrale et sa vraie couronne n'est pas celle où nous avons accès au bout de 107 marches, mais elle est formée de la foi profonde de ces pèlerins qui venaient honorer Celle qui avait accepté de sauver les hommes en permettant, par un mystère incompréhensible, que le Fils de Dieu descende en Elle...

Après la dernière guerre, il avait été question de placer une statute colossale de la Vierge au-dessus de Besançon, à Notre-Dame-des-Buis. Fort heureusement, ce projet a été abandonné et j'espère qu'ils le seront tous dans l'avenir.

Après les ORGUES D'ESPALY, gigantesque faisceau de colonnes basaltiques, nous pouvons nous diriger vers les ruines du château des POLIGNAC et surtout visiter l'église qui contient des fresques du xvᵉ siècle représentant, comme à Saint-Michel, un jugement dernier.

Une bretelle reliait Nevers (étape de la deuxième route) au Puy. Nous allons la prendre pour y découvrir, à travers l'Auvergne tapissée de genêts et de boutons d'or, la beauté sobre et logique de ces monuments qui impressionnent les pèlerins de tous les temps.

Je ne peux pas, entre Nevers et Clermont-Ferrand, et parallèlement à Saint-Pourçain-sur-Sioule (qui possédait une abbatiale bénédictine malheureusement refaite à toutes les époques), ne pas engager à faire un détour pour aller voir la première localité que saint Martial évangélisa : TOULX-SAINTE-CROIX.

Ce site « du vent » est un haut-lieu qui permet de découvrir un panorama de 100 kilomètres de rayon ; d'abord celtique, puis romain, mérovingien et roman, il conserve de toutes ces époques de précieux souvenirs. Séparé de l'église, isolé, trapu, le clocher possède de puissants contreforts. Il est séparé de l'église, car trois travées se sont écroulées et plus rien ne le relie à l'édifice qui n'en possède plus que deux séparées par des piliers cruciformes. Sur la face sud du clocher existe un intéressant remploi d'une figure gallo-romaine : on reconnaît l'effigie de Mercure dont le temple aurait occupé l'emplacement de l'église actuelle. L'idole renversée sert de fondement au temple chrétien. Mais la curiosité la plus énigmatique, ce sont trois lions de pierre qui sont à l'entrée de l'église. Je me rappelle avoir lu dans « Jeanne », de George Sand, ces lignes : « Renversés, mutilés, ils gisent le nez dans la fange. » La domination anglaise n'a rien à voir avec eux ; de plus ces animaux n'ont jamais servi de supports à des colonnes ; aussi je me permets d'y voir un apport oriental qui faisait du motif « du lion accroupi » un symbole de protection.

La route nous ramène à EBREUIL où, depuis le XIe siècle, existait une abbaye bénédictine. Le clocher-porche nous rappelle celui de Saint-Benoît-sur-Loire ; au-dessus un groupe de sculptures représentent le Christ entre la Vierge et saint Jean. La nef est un beau vaisseau conçu sans voûte ; le transept est caractéristique avec son tambour percé d'arcades que nous retrouvons dans toutes les constructions romanes en Auvergne ; sa coupole est octogonale sur trompes et son déambulatoire, avec ses deux chapelles en hémicycle et ses trois chapelles à cinq pans, rappelle celui de Saint-Pourçain-sur-Sioule.

Les piles seulement surmontées de l'imposte où retombent

les arcs étaient recouvertes de peintures ; nous y voyons une crucifixion, plusieurs saints, entre autres : saint Blaise, saint Laurent avec son gril à la main et un superbe chevalier monté sur un cheval blanc que je n'ose plus appeler saint Georges... Mais c'est dans la tribune du clocher-porche que sont les plus anciennes peintures, qui datent du XIIe siècle. Elles représentent saint Austremoine, apôtre de l'Auvergne et premier évêque de Clermont, et à côté le pape saint Clément qui l'avait envoyé évangéliser cette partie de la Gaule. A côté, la décollation de saint Pancrace ; le bourreau est vêtu d'un bliaud collant rayé de bandes de couleurs variées ; à droite se trouve un autre personnage, sans doute saint Martial. Je pense à une autres décollation : celle de saint Jacques que nous avons déjà vue à Saint-Jacques-des-Guérêts, sur la première route ; celle-ci était moins ancienne d'environ cinquante ans que celle du martyre de saint Pancrace.

Notre route nous conduit à RIOM, ancienne capitale du duché de l'Auvergne, qui a perdu son ancien palais des ducs de Berry, mais qui a eu la chance de garder sa Sainte-Chapelle, ce que Bourges ne possède plus. Elle est située dans le palais de Justice construit à l'emplacement du château. Ce n'est pas à l'extérieur de l'église qu'il faut chercher Notre-Dame-du-Marthuret ; au trumeau il n'y a qu'un moulage ; la Vierge au Fils tenant l'oiseau est à l'intérieur dans une chapelle de droite.

MOZAC n'est séparé de Riom que par la voie ferrée. Une abbaye y fut fondée au VIIe siècle par saint Calmin. On y admire encore sa châsse, chef-d'œuvre de l'orfèvrerie limousine daté d'environ 1168 et qui est conservé dans le trésor de l'église construite au XIIe siècle. Malheureusement le chevet avec ses quatre chapelles rayonnantes a disparu. A l'intérieur de l'église deux grands chapiteaux qui proviennent du déambulatoire sont à terre, au niveau de notre regard, ce qui permet de les admirer et de prendre vraiment contact avec le pur style auvergnat de cet art trapu, expressif et parfois très réaliste. L'un représente quatre vendangeurs à genoux portant des grappes ; l'autre, le plus curieux, les Saintes Femmes au tombeau tenant dans leurs mains les vases de parfum : sur un autre côté, trois soldats dorment devant le sépulcre du Christ, leurs cottes de maille, leurs casques coniques à nasal, leurs boucliers en amande sont de précieux témoins de l'équipement militaire au XIIᵉ siècle.

Au VIᵉ siècle saint Avit fonde une église dédiée à la Vierge « au lieu que de toute antiquité on appelait le Port » et c'est presque dans le centre de la ville de CLERMONT-FERRAND qu'il faut aller découvrir la plus célèbre et la plus visitée des églises romanes d'Auvergne. Bien entendu, cette étape figurait avec un intérêt tout particulier, car les chapiteaux du chœur expliquaient la transformation de « Eva » en « Maria », la faute d'une femme rachetée par une autre femme. Malheureusement, les églises en Auvergne sont très sombres avec leurs tribunes et leur tour lanterne surmontant une coupole sur trompes qui repose généralement sur des arcs diaphragmes allégés chacun par une triple baie.

Mais à Notre-Dame-du-Port, il faut faire effort pour étudier les chapiteaux du chœur et circuler autour du déambulatoire avec sa « lampe-torche » ou à défaut aller voir les moulages au Musée des Monuments Français à Paris. Notre Mère Ève n'est pas du tout avantagée : hanches fortes, seins pendants. Au lieu de séduire Adam avec une pomme (du latin pomum, c'est-à-dire le fruit), le sculpteur trouvant ce produit trop banal l'a remplacé par des grappes de raisin et, pour inciter Adam à déguster « ce nectar d'immortalité », elle lui caresse la barbe. Il se vengera après la faute en lui tirant les cheveux. Comme il était difficile au Moyen Age d'exprimer par des exemples frappants cette faute initiale qui n'était qu'une faute d'orgueil ! Dieu avait déjà dit : « Soyez féconds, multipliez. » Mais Adam et Eve avaient appris de Lucifer qu'un seul arbre pouvait avec « son fruit », les rendre semblables à Dieu. Lucifer s'était déjà révolté par orgueil ; l'archange saint Michel, en jugeant la révolte de celui qui ne voulait pas s'incliner [« non serviam »], s'était écrié : « Mikaël » (qui comme Dieu) et Dieu lui a laissé son nom. La femme semeuse de mort devait être remplacée par la femme semeuse de vie ; le fruit qu'Eve a donné à manger à Adam était un fruit de mort, celui des entrailles de Marie est assuré de donner la vie éternelle...

Quittons la nef fort belle avec ses hauts piliers ; les parties
hautes nous donnent la douceur du demi-jour, et nous marchons au rythme même de l'architecture troublé seulement par
des colonnes saillantes où ne repose aucun doubleau. Gardons
notre admiration pour le chevet en nous efforçant de n'y pas
englober la tour lanterne refaite au XIXᵉ siècle, ainsi que le
clocher. Etroitement appliquée au puissant massif du transept,
l'abside déploie sous nos yeux sa couronne de chapelles rayonnantes qui font corps avec le déambulatoire, puis d'étage en
étage, par une progression savamment graduée, les volumes
s'allègent jusqu'à la tour octogonale ; le mur et les pignons
sont revêtus d'un chatoyant vêtement fait de mosaïques aux
couleurs variées. Je crois vraiment qu'au Moyen Age on deman-
dait seulement aux architectes d'élever des églises dont le seul
rôle était de parler de Dieu et d'aider à prier ; la beauté était
donnée par surcroît. Et tout ce qui sortit de leurs mains est
« beau ». L'esthétique disparaît-elle le jour où les constructeurs
n'ont plus la foi ?...

VIC-LE-COMTE possède sa Sainte-Chapelle contemporaine de
celle de Riom et a également vu la disparition de son château.
En 1952, un nettoyage de l'église Saint-Jean révéla des restes
importants de peintures murales représentant des apôtres, la
vie de saint Jean-Baptiste, patron de l'Eglise, et la légende de
saint Blaise dont Vic se glorifie de posséder une partie du
crâne. C'est au prieuré de Berzé-la-Ville, en Saône-et-Loire,
dont saint Blaise est le patron de l'église paroissiale, que nous
trouvons sa légende et son martyre. Il avait le pouvoir de guérir
les animaux ; et à Vic nous le voyons, tel un nouvel Orphée,
entouré de bêtes féroces, d'un singe et d'un cerf qui s'inclinent
devant lui. Je pense à tous les animaux encore sauvages qui
existaient au Moyen Age en France, et à la crainte qu'ils
devaient inspirer à ceux qui circulaient en ces lieux où, de
bouche en bouche, on se racontait des récits terriblement
imagés.
Avant de quitter l'église, jetons un regard vers une belle
représentation de Notre-Dame-de-Pitié du début du XVIᵉ siècle.
ISSOIRE, bon vin à boire, belles filles à voir : voici le proverbe,
mais j'aime à penser que nos jacquaires y venaient aussi pour
« autre chose ». Austremoine serait venu en Auvergne sous les

consulats de Decius et de Gratus et serait mort à Issoire vers
250. Les religieux de Charroux en Poitou (première route)
auraient reçu au VIIIᵉ siècle le chef de saint Austremoine et,
fuyant les invasions, seraient revenus avec leur première
relique aux environs d'Issoire. L'église actuelle est du XIIᵉ siècle, mais elle succède sans doute à une autre plus ancienne.

Après Brioude l'église de cette ancienne abbaye est le plus
grand des édifices romans d'Auvergne. Le chevet, abstraction
faite de la tour-lanterne du transept, donne une impression de
sobriété et de justesse de proportions qui rend à cet art
majeur — l'architecture — son sens exact de la beauté. Comme
à Saint-Nectaire et à Brioude, il y a un nombre impair d'absidioles, ce qui est rare en Auvergne. Mais ici les chapelles sont
fort élevées et atteignent à peu près la hauteur du déambulatoire ; la chapelle d'axe, d'un type tout différent, est bâtie
sur plan rectangulaire. Elles sont couvertes de toitures coniques derrière lesquelles se dressent, comme il est d'usage en
Auvergne, des murs-pignons triangularies ; la mosaïque, faite
de petites pierres volcaniques à surface granuleuse de différentes couleurs, accroche la lumière et vient jeter encore ici
son insolite note islamique. Au-dessus des fenêtres des chapelles rayonnantes, ont été sculptés des médaillons représentant les douze signes du zodiaque ; à part le taureau (qui
est du XIXᵉ siècle), tous les autres sont d'époque et leur qualité
est exceptionnelle.

La grande déception ressentie en entrant dans l'église, c'est
de voir le badigeon aux violentes couleurs dont tout l'intérieur
est revêtu. Il paraît que ce barbouillage a coûté 60 000 francs-
or au XIXᵉ siècle. Convertissez en nouveaux francs et songez à
toutes les heureuses restaurations qui auraient pu être faites
pour cette somme...

Les chapiteaux de la nef sont pour la plupart à feuillages
et n'ont pas beaucoup de relief. Quelques-uns ont des personnages ; un, assez curieux, représente des hommes nus, à face
simiesque, encordés par une étrange créature à longue per-
ruque contre qui ils paraissent se révolter. L'un des chapiteaux
du chevet est célèbre par la représentation de la Cène où les
douze apôtres et le Christ sont assis tout autour de la corbeille
devant une table sans pieds où sont placés des pains ; un autre
montre les soldats endormis et un ange aux ailes magistra-

lement déployées assis sur la pierre du tombeau, afin que les hommes ne le referment jamais. « O mors, ero mors tua ? Morsus tuus ero, Inferno », car la mort fut vaincue comme l'avait prédit le prophète Osée. Certes l'ordonnance des chapiteaux est ancienne, mais les têtes et les mains sentent trop la restauration.

Il y a quelques années, on a découvert derrière une boiserie, dans une pièce à l'usage de sacristie, une fresque du xve siècle qui représente un jugement dernier. Nous qui recherchons la beauté et l'austérité de notre Moyen Age, descendons comme les pèlerins de jadis dans cette fille des catacombes qu'est la crypte. Ici point de peinture et le bel appareil des pierres conserve sa pureté première. Un couloir aujourd'hui muré conduisait au monastère et je me demande quelle main a un jour, sur le tailloir d'un chapiteau près de ce couloir, écrit un monogramme allongé dont toutes les lettres sont groupées autour d'un immense A ? Il faut sans doute lire « Austremonius ». Etait-ce le nom du pèlerin ou un appel à l'apôtre de l'Auvergne ?

Il me semble impossible que l'on ne connaisse pas AUZON. L'église Saint-Laurent d'Auzon est collégiale depuis le xve siècle. Elle est au centre d'un ancien bourg fortifié bâti sur un éperon rocheux tombant à pic dans la vallée du ruisseau qui porte son nom. Le mur du chevet est polygonal et l'on ne soupçonne pas le plan tréflé du sanctuaire.

Sur le flanc sud, grand porche dit dans le pays : « la ganivelle ». A la retombée des grands arcs, intéressants chapiteaux : la Nativité qui figure sur l'un d'eux me ravit d'aise. Elle représente Marie couchée, l'Enfant est au-dessus avec l'âne et le bœuf soufflant sur lui, et sur sa tête l'étoile. Généralement le pauvre saint Joseph, dont le culte ne sera vraiment à l'honneur qu'au xvie siècle, est représenté dans un petit coin, à l'écart et il a toujours l'air de se demander ce qu'il vient faire dans cette composition où il n'est pour rien. Au contraire, ici, appuyé sur le lit, il prend la main de Marie dans un geste touchant et affectueux. Je pense à toutes les mains qui ne se sont pas rencontrées et qu'une simple pression compréhensive, quelquefois, pourrait apporter à des doigts malheureux un peu de paix... un peu de joie...

L'intérieur de l'église est un petit musée : Notre-Dame du Portail du xvᵉ siècle, grand Christ très byzantin à quatre clous, curieuse chaire où des caractères étudiés par les plus grands savants sont restés intraduits, et un saint local, saint Verny. Il est considéré en Auvergne comme le patron des vignerons et je le tiens pour une transformation de saint Vincent. Il possède un chapeau à large bord surmonté d'une calotte. Lorsque la récolte a été bonne, on lui laisse son chapeau ; si la vendange est moyenne, on lui retire le bord du chapeau en ne laissant que le fond ; si le vin est mauvais ou en trop petite quantité, il reste une année tête nue...

Sur les murs verticaux de la Chapelle de la Vierge sont représentées dans des médaillons circulaires les scènes de la vie du Christ jusqu'au couronnement de la Vierge par un ange. Cette composition imite l'art du vitrail et cette peinture murale est d'un effet très luxueux. Au-dessus d'une fresque mutilée, représentant un portement de croix, suivi par une foule où se distinguent de hauts dignitaires, un escalier en bois conduit à une petite chapelle Saint-Michel décorée de peintures du xivᵉ siècle, d'un grand intérêt inconographique. Elles représentent saint Michel et ses anges luttant contre le dragon, et l'apparition de ce même Saint sur le mont Gargan au-dessus de l'Adriatique. Nous ne doutons plus de la foi sincère de tous ceux qui venaient avec confiance se mettre sous les pieds de l'archange.

Par la porte entrouverte, garnie de cuir et qui a gardé ses pentures en fer du xiiᵉ, j'ai vu les poules entrer et ressortir et durant ma visite le chien de M. le Curé m'accompagnait, s'arrêtait où je m'arrêtais en suivant la direction de mon regard ; son maître, très simplement m'a avoué : « C'est aussi une créature du Bon Dieu et les visiteurs attentifs sont pour lui comme pour moi nos seules distractions ». Si Francis Jammes voulait monter au paradis avec son âne, je pense à ceux qui voudraient que leur fidèle compagnon continue à marcher à leurs côtés dans l'au-delà.

Auzon nous amène à Brioude qui possède la plus grande église romane d'Auvergne et était une étape très importante sur l'itinéraire de Saint-Jacques-de-Compostelle. Imaginons la foule entrant dans cette enceinte aux rues étroites, aux maisons

LE PUY : le grand Saint Michel de la tribune dans la cathédrale. Ci-dessous, tympan de Saint-Michel-l'Aiguille.

LE PUY (cathédrale) : porte de la chapelle Saint-Martin.

LE PUY : narthex de Saint-Michel-l'Aiguille.

BRIOUDE (Haute-Loire), ci-contre, le saint Jacques du porche nord de l'église Saint-Julien.

LAVAUDIEU (Haute-Loire), fresque de la salle capitulaire,

AURILLAC. La maison consulaire.

COLLONGES (Ain) : Relais des Pèlerins.

LA CHAISE-DIEU (Haute-Loire) :
détail de la Danse Macabre.

avec portes blasonnées, tourelles d'angles, fenêtres géminées, et se rendant en interminables processions sur la tombe du martyr Julien. Il y a plusieurs saint Julien : Julien l'Hospitalier qui tua son père et sa mère et qui en pénitence se fit « passeur », Julien premier évêque du Mans, et Julien d'une noble famille d'Auvergne qui s'offrit sans peur au bourreau qui le cherchait et reçut le martyre vers l'an 304. Mais ce qui attirait aussi les pèlerins c'était l'écu de Guillaume d'Orange dont nous parlerons longuement lors de la quatrième route, et qui, illustre moine-soldat, vint faire lui aussi son pèlerinage et y laissa son écu.

Sous le porche nord, nous attend une statue de saint Jacques à la barbe exubérante, au chapeau surmonté d'une coquille. Circonstance rare, il est assis, mais ses membres supérieurs sont si mutilés qu'il est en effet préférable de le voir nous accueillir en cette posture.

A l'intérieur, le narthex et les quatre premières travées de la nef sont antérieurs d'un demi-siècle au reste de la construction qui paraît être à la findu XIIᵉ siècle. On admire le narthex aux voûtes énormes et majestueuses, les magnifiques piles de la grande nef, très hautes, cantonnées de colonnes que surmontent d'admirables chapiteaux. Le chevet est comme une ample couronne formée par cinq chapelles rayonnantes. Au-dessus du narthex se trouve une tribune avec une chapelle dédiée à saint Michel. Une décoration murale évoque le chœur des anges et la psychomachie, et nous y sentons une influence nettement asiatique. Certaines têtes nous plongent en pleine Perse, tandis que le loros, l'écharpe d'apparat, nous rappelle Byzance. Mais la plus extraordinaire est encore l'enfer. Un enfer tel que le conçoivent nos artistes contemporains lorsqu'ils ne font pas de l'abstrait. Un enfer verdâtre où Satan, les pieds en l'air, est entouré de crapauds et de serpents, tandis que deux démons aux pieds crochus emportent une âme. Je me demande quels pouvaient être les rêves de tous ceux qui de jour méditaient sur ce qui leur arriverait s'ils mouraient en état de péché mortel...

A cinq kilomètres au sud de Brioude le fondateur de l'abbaye de la Chaise-Dieu, dont nous allons parler plus loin, établit pour des religieuses bénédictines un monastère à LAVAUDIEU.

7

Très endommagés par les hommes et le temps, le cloître et la salle capitulaire ont été remis en état. Le cloître (qui, seul, a échappé à la destruction) est rustique avec des arcades en plein cintre reposant sur des colonnes tantôt jumelées, tantôt simples, aux curieux chapiteaux parfois historiés. Il est surmonté d'un étage en bois, au-dessus duquel se dessine le clocher à deux étages octogonaux surmonté d'une flèche tronquée. Le mur du fond de la salle capitulaire est occupé par une admirable fresque d'environ 7 mètres. Le Christ entre les symboles des quatre évagélistes est très dégradé, mais le registre inférieur représente la Vierge assise, en orante, les bras levés, ayant derrière son trône un rideau fixé à une tringle que soutiennent deux anges ayant à leurs côtés les apôtres en deux groupes.

La vierge est couronnée d'un diadème royal, ce qui n'est pas byzantin mais plutôt d'inspiration copte qui venait de Palestine et de Syrie. Emile Mâle a rapproché cette œuvre d'une peinture de la chapelle de Baouit en Egypte, peinture du VIe siècle qui est déposée actuellement au musée copte du Caire.

Revenons à Brioude et dirigeons-nous à l'est vers LA CHAISE-DIEU. Nous avons parlé à Lavaudieu du fondateur de cette abbaye qui est saint Robert et qui abandonna Brioude pour venir faire pénitence sur ce plateau désolé. Les moines affluèrent ; il faut croire que la « pénitence » était à la mode au XIe siècle puisque, à la mort du Saint, ce moustier de granit, la Casa Dei, comptait 300 moines. Mais l'église actuelle, dont la façade évoque l'aspect d'une construction militaire, a été entreprise au XIVe siècle par un ancien moine devenu le pape Clément VI, enterré d'ailleurs au milieu du chœur de l'Eglise. Au XVIe siècle un autre abbé, Jacques de saint Nectaire, dota le sanctuaire de magnifiques tapisseries de Bruxelles et d'Arras dont les sujets sont tirés de la Bible des Pauvres. Il existe également 144 stalles en chêne ; mais ce qui fait la renommée de la Chaise-Dieu c'est sa Danse Macabre.

Jamais on n'a tant cru à la fin du monde qu'au cours des années du XVe siècle, car jamais les guerres n'avaient été si sanglantes, les assassinats si fréquents, le poison, le poignard, toutes les formes de trahison aussi répandus. Les rois et les seigneurs se déchiraient en des querelles perpétuelles, les ordres religieux se relâchaient, le pouvoir de l'église était affaibli par le schisme d'occident et le dérèglement des mœurs, ce qui amena naturellement la Réforme. Aussi lorsque se produisit en 1485 une éclipse totale de soleil à la suite de la conjonction de Saturne avec Jupiter, on crut au commencement de l'Apocalypse.

Ce dialogue avec la mort va s'inscrire en premier en 1424 sur les murs du cimetière des Innocents à Paris. Il n'en reste rien, j'ai pu en voir la reconstitution sur les gravures gardées dans la galerie du donjon du château de Nemours (aujourd'hui musée).

La Danse macabre de la Chaise-Dieu, haute de 2 mètres et longue de 26 mètres, est divisée en trois panneaux. Elle représente la mort invitant à danser, d'une part les puissants de ce monde, d'autre part la bourgeoisie et, enfin, les artisans. Superbe égalité, comme la légende des trois morts et des trois vifs : la beauté, la richesse, la gloire feront de ces trois jeunes gens trois squelettes. Il reste en France une trentaine de peintures murales figurant ce dernier thème.

La Danse macabre de la Chaise-Dieu a été reproduite au Musée des Monuments Français il y a vingt-huit ans et la copie fait figurer des taches d'humidité qui ont aujourd'hui disparu sur l'original, le Service des Monuments Historiques étant arrivé à supprimer les moisissures. Il reste encore sept peintures murales de la Danse macabre en France ; les plus connues sont celles de Kermaria, dans les Côtes-du-Nord, et celle de Meslay-le-Grenet, dans l'Eure-et-Loir, sans oublier celle sculptée à l'Aitre Saint-Maclou, à Rouen.

Les pèlerins qui étaient descendus de Nevers par la bretelle dont nous venons de fixer les étapes avant d'arriver au lieu de rassemblement du Puy passaient par l'ancienne capitale du Velay : SAINT-PAULIEN. Lorsque l'on visite le château de la Roche-Lambert, gracieuse construction de la fin du xve siècle dans un beau cadre de verdure, dont la devise des Seigneurs était fièrement : « En amour comme en guerre : nous valons Dieu », de la terrasse on aperçoit l'ancienne voie empruntée par les jacquaires. Près du château il y a d'immenses grottes vraisemblablement préhistoriques qui durent servir d'abris, et je pense que nos pèlerins ont dû y dormir bercés par le murmure de la Borne qui coule en bas.

Nous sommes arrivés au point d'où partit le premier pèlerinage allant à Santiago : Le Puy. Jusqu'à Aumont les deux routes indiquées sont faciles, nous y trouvons des lacs presque circulaires, anciens cratères de volcans éteints, des vallées semées de prairies et d'arbres et des « burons », petites maisons de pierre bâties en murs épais qui gardent la fraîcheur nécessaire au fromage pour mûrir. Mais bientôt vont s'étaler devant nous les montagnes d'Aubrac, qui ont un aspect sauvage, lugubre, parfois inhumain. C'est la raison pour laquelle un hospice y fut fondé pour les Jacquaires au XIIᵉ siècle ; les frères hospitaliers avaient pour seule mission de s'occuper des pèlerins et de surveiller les longs cortèges qui s'avançaient, telles des chenilles, dans le brouillard du soir ou l'obscurité de la nuit. Une cloche sonnait dès que le jour tombait et une torche s'allumait au clocher du monastère.

Comment ne pas raconter la belle histoire que tous les pèlerins se disaient le soir à la veillée et qui a commencé à Aubrac. Le vieil Ambroise était carrier dans le Vivarais ; il avait perdu la compagne de ses jours et, quoique âgé, il avait décidé pour obtenir son paradis d'aller à Saint-Jacques-de-Compostelle et aussi de s'abstenir de vin. Marchant difficilement, il perdit le groupe devant l'Aubrac ; attaqué par les loups, il ne dut son salut qu'en entrant dans l'eau glacée du lac et fut arraché à une mort certaine par des cavaliers qui étaient des Frères Hospitaliers. Il continua son chemin, mais ses pas devenaient de plus en plus lents si bien qu'à une étape, dont personne ne peut préciser le nom, ses compagnons décidèrent de le laisser en recommandant à l'aubergiste du lieu, moyennant une somme d'argent, de s'occuper de lui jusqu'à leur retour. Un des pèlerins, pour être sûr qu'il ne pourrait plus les rejoindre, lui déroba son bâton et le jeta loin dans des buissons épais. Ambroise se réveilla, comprit qu'on l'avait abandonné, ne vit plus son bourdon et s'écria : « Santiago ! » Alors la lumière se fit dans la vieille tête toute simple et sans complication, il sortit de la grange où il avait dormi pour couper un autre morceau de bois. Hélas ! pas de morceau de bois autour de lui, rien que de l'herbe parsemée de quelques touffes de plantes sauvages : des mauves. L'une des tiges plus haute que les autres portait une fleur. D'un geste machinal, Ambroise saisit la tige. La sauge, un jour, nous dit la chanson, « s'ouvrit pour recevoir l'Enfant Jésus » ; ici la mauve se raidit et, au contact de sa vieille main, l'homme sentit le durcissement de la tige. Cette vigueur végétale se communiqua à tout son être, il arracha vigoureusement l'arbuste, le débarrassa de ses feuilles et, le serrant très fortement, se remit en marche. La petite fleur se balançait doucement au bout du bâton et, quand le soir fut venu, elle se ferma en chiffonnant sa belle robe qui ne servait plus à rien et tomba ayant bien rempli sa mission. Ambroise est bien arrivé à Santiago et nous reparlerons de lui au terme du voyage.

Nous avons quitté la « dômerie » d'Aubrac. Pour arriver à Conques il faut franchir le pont à ESPALION ou à ESTAING. Souvent le Lot était en crue ; la rivière gonflée, large, rapide n'inspirait pas confiance et les arbres arrachés par le courant venaient buter violemment contre les piles du pont que la troupe s'efforçait toujours de franchir très rapidement.

Même aujourd'hui, ceux qui disent avoir tout vu, tout éprouvé, qui semblent blasés et qui vous assurent qu'aucune nouvelle découverte ne leur fera ressentir le moindre choc, ceux-là même lorsqu'ils ont traversé les gorges du Dourdou grandioses et sauvages, et qu'après un dernier virage de la montée de CONQUES, ils voient se dresser au-dessus des maisons la masse énorme de l'église se détachant sur le ciel, s'ils sont au volant d'une voiture, ils stoppent et regardent.

Sainte Foy, qui porte bien son nom, fut martyrisée à l'âge de douze ans à Agen. Ses reliques conservées dans l'église de la ville attiraient les foules. A Conques, en Rouergue, existait une communauté bénédictine ; l'un de ses moines, Ariviscus, se fit voleur de reliques. Il se fit passer pour un pèlerin et s'enrôla à Agen dans la communauté de Sainte-Foy où il resta dix ans, jusqu'au jour où il fut nommé gardien des précieux restes... Alors il les vola et revint triomphalement à Conques avec son trésor. Il fut accueilli avec débordement de joie. Je ne crois pas qu'il existerait de nos jours un seul voleur de reliques, car elles n'ont plus le prestige qu'elles avaient au Moyen Age.

Ce rapt a permis à nos yeux de contempler cette église, fille de Saint-Martin de Tours, cousine germaine de Saint-Martial de Limoges, de Saint-Sernin de Toulouse et de Santiago de Compostela. Son tympan, qui est un pur chef-d'œuvre, a réussi à échapper à la fureur des protestants ; il représente le jugement dernier. Le thème qui s'apparente ici aux sculptures du Languedoc et de l'Auvergne est traité avec cent vingt-quatre figures et garde encore un peu de polychromie. Le Christ qui assiste à la pesée des âmes bénit les élus et maudit les damnés. Un détail plus particulier à cette église : sainte Foy, petite martyre du IVᵉ siècle, se prosterne devant la main de Dieu et derrière elle est figurée par des arcades l'église de Conques. Des chaînes suspendues rappellent les fers que les prisonniers délivrés accrochaient aux murs de l'église en ex-voto et, par une sorte de juxtaposition, je vois d'autres chaînes suspendues au chevet de l'église San-Juan de Los Reyes à Tolède. Elles provenaient des captifs chrétiens délivrés à Malaga et à Alméria par le roi Ferdinand ; la route de Santiago est bien le chemin de la reconquête.

A l'intérieur, le chœur est entouré de superbes grilles du XIIIᵉ siècle qui forment clôture ; tout autour, comme dans toutes les églises de pèlerinage, existe un déambulatoire qui permettait aux fidèles de défiler pour venir honorer les reliques. Au-dessus, les tribunes ont l'air de cloîtres aériens. On a dégagé et restauré une partie du cloître de l'ancienne abbaye et le trésor est installé dans une salle fort bien aménagée. La pièce maîtresse est la statue reliquaire du Xᵉ siècle. Cette sainte Foy en bois est recouverte de lames d'or et enrichie d'une profusion de pierres précieuses, de cabochons, d'émaux limousins ; entre ses doigts elle tient de petits tubes où la ferveur des pèlerins mettait des fleurs. Cette « idole » avec son hiératisme étrange, la fixité de ses yeux grands ouverts sur l'invisible, devait laisser à chacun une vision impressionnante. Mais ces pèlerins, qui étaient logés à l'hostellerie du monastère, nous les retrouvons à travers toutes les ruelles du village bordées d'anciennes maisons ; et lorsque la nuit descend sur Conques je vois les bateleurs qui s'installent en plein air. Les acrobates et les jongleurs font leurs tours, les chanteurs et les diseurs de fabliaux se font entendre, écoutez-les :

Nous avons quitté père et mère
Tristes et marris
Au cœur avions un grand désir
D'aller à Saint-Jacques
Avons quitté tous nos plaisirs
Pour faire ce saint voyage...

Sont arrivés à Conques les Jacquaires qui avaient pris la bretelle partant de BORT-LES-ORGUES. Ils ne reconnaîtraient plus la petite ville située dans la vallée de la Dordogne depuis que l'imposant barrage a été construit ; mais les célèbres orgues basaltiques la surplombent toujours. Au sud, dans une riante vallée située sur la rive gauche de la Sumène, s'élevait à YDES le siège d'une riche commanderie de Templiers. L'église fut ensuite donnée aux chevaliers de Saint-Jean de Jérusalem qui étaient les frères hospitaliers des routes du pèlerinage.

Le porche ouest est surmonté par un simple mur pignon, percé de baies dans lesquelles on loge les cloches ; ce type de clocher élémentaire est appelé « clocher à peigne ». Le sanctuaire est dédié à saint Georges que l'on voit au petit porche sud. (Quel nom a-t-on désormais donné à cette église devenue paroissiale ?) Aux ébrasements du porche ouest, trois belles scènes tirées de la bible et de l'évangile : l'archange Gabriel annonce à Marie qu'elle enfantera le Sauveur, Daniel assis au milieu de six lions couchés, et le prophète Habacuc conduit par un ange. Le chevet semi-circulaire est soutenu par quatre colonnes cylindriques engagées qui le divisent en cinq panneaux. Les têtes des modillons expriment la joie, la raillerie et la tristesse.

A une trentaine de kilomètres de Ydes, une belle légende raconte que deux Auvergnats avaient été faits prisonniers en Espagne par les Arabes et qu'ils avaient tant prié la Vierge qu'on les retrouva chargés de fers et endormis à MAURIAC à l'emplacement où s'élève la basilique actuelle. Aussi derrière une cuve baptismale romane on montre durant le mois de mai les « fameux fers sarrasins ». La basilique Notre-Dame des Miracles a une abside flanquée de deux absidioles avec une corniche aux corbeaux pleins de fantaisie. Mais la sculpture la plus intéressante est celle du tympan qui représente l'Ascension. Deux anges plient le genou en un mouvement très gracieux devant le Christ dans la mandorle ; au-dessous la Vierge et les apôtres lèvent la tête dans un mouvement plein de vivacité. Cette sculpture relève de l'école languedocienne.

A l'intérieur la voûte est en berceau brisé avec au transept une coupole sur trompes. En ressortant nous verrons, contre un contrefort au sud, une lanterne des morts qui se dressait autrefois dans le cimetière.

A part la maison consulaire qui rappelle que la ville d'Aurillac toujours en lutte avec son seigneur-abbé, finit par obtenir l'autonomie de son administration, on ne rencontre plus dans cette ville de monuments de grande classe car le baron des Adrets est passé par là...

Cependant il existait une célèbre abbaye fondée par saint Géraud dont les moines instruisirent un petit pâtre de la région qui s'appelait Gerbert. Trouvant cet élève exceptionnel et ayant peu à lui enseigner, ils l'envoyèrent en Espagne fréquenter les universités arabes.

Les savants musulmans avaient traduit en arabe du IXe au Xe siècle les œuvres d'Aristote, de Platon, d'Euclide et de Ptolémée. Ils avaient ordonné les apports de l'antiquité classique et de l'Inde, développé l'arithmétique, la chimie et l'algèbre et créé pratiquement la trigonométrie. Il ne faut pas mésestimer l'apport des arabes à notre civilisation occidentale au point de vue artistique et scientifique.

Gerbert apprit en Espagne les mathématiques et la médecine ; on dit même que ce serait lui qui aurait introduit l'usage des chiffres arabes dans le monde occidental. L'empereur Othon le choisit comme précepteur de son fils et il deviendra pape en « l'an mille » sous le nom de Sylvestre II.

Quelques coquilles tardives sur la façade de la maison consulaire évoquent le passage des Jacquets il y a fort longtemps... car on ne visite plus Aurillac au point de vue purement touristique.

Nous sommes de nouveau à Conques et nous reprenons la route normalement indiquée jusqu'à Figeac. Cette ville se présente à nous construite sur la rive droite du Célé avec son ancienne abbatiale, son église Notre-Dame du Puy, ses vieilles maisons dont l'une ne pouvait se douter au Moyen Age qu'elle verrait au xviiie siècle naître Champollion.

Sur la hauteur dominant la ville deux monuments dénommés « aiguilles » sorte d'obélisques étroits et qui datent du Moyen Age ont donné naissance à plusieurs hypothèses. On croit que ces aiguilles servaient de support à des torches chargées de guider la nuit nos pèlerins ou bien qu'elles étaient les « bornes limites » du territoire de l'abbaye et qu'entre elles existait le « droit d'asile ».

L'abbatiale Saint-Sauveur était une des plus grandes abbayes quercynoises du Moyen Age ; elle dérivait de Conques mais subit beaucoup de restaurations depuis le xiie siècle. A l'intérieur on peut voir un chapiteau portant la coquille Saint-Jacques comme ornement et qui rappelle bien la halte importante sur la route du pèlerinage. Un vieil hôtel de la monnaie du xiiie siècle, restauré mais intéressant car il en reste très peu en France, est à voir.

A Figeac arrivait une bretelle qui partait de l'église Saint-Martin de Brive dite La-Gaillarde. La première halte était pour cette étonnante petite cité de grès rouge qui s'appelle Collonges ; lorsque vous avez passé une deuxième porte fortifiée vous êtes en présence d'une vieille hostellerie qui ne craint pas d'afficher sur une énorme coquille « Relais de Saint-Jacques-de-Compostelle ». Actuellement nous circulons à travers les petites ruelles de la cité en évitant les artistes-peintres qui s'y installent en essayant de faire revivre les vieux manoirs à tourelles et les sirènes tentatrices qui charment les visiteurs au-dessus des portes. L'abbaye de Charroux (première route) possédait là un prieuré dont l'église fut commencée au xie siècle. Nous avons déjà vu l'ancêtre du clocher à gâbles à Brantôme (deuxième route) et nous avons peut-être ici le plus ancien du groupe régional. Deux étages carrés ont des contreforts plats, reliés au sommet du second par des arcs ; un court étage aux angles en talus, avec quatre massifs saillants munis d'un arc aveugle et d'un gâble peu aigu, fait transition avec l'octogone ; puis le début d'une flèche de pierre remplacée par une charpente.

Mais incontestablement la partie la plus intéressante de l'église est le tympan de pierre blanche qui avait été démonté lors des guerres de religion et qui a repris sa place en 1923. Il représente l'Ascension. Au registre supérieur le Christ tenant un livre est élevé par deux anges, deux autres les ailes déployées montrent le ciel et se penchent vers la Vierge et les onze apôtres placés au registre inférieur sous une arcature. Toutes les attitudes sont pleines de vie et de variété, cette œuvre exquise fournit « un des maillons de la chaîne qui unit les créations languedociennes à l'art chartrain ». Séparés par un trumeau, les deux arcs trilobés rappellent toujours l'influence arabe, quoique refaits. Quittons à regret Collonges la rouge dont la couleur tranche sur le vert des vignes qui s'y déploient.

Nous descendons vers la Dordogne en longeant les champs où les hommes et les femmes travaillent et nous gagnons cette vieille ville extraordinaire qui s'appelle BEAULIEU. A la limite du Limousin et du Quercy une abbaye bénédictine y fut fondée au IXᵉ siècle par saint Raoul. En forme de croix latine avec une coupole sur pentenditfs à la croisée du transept, elle possède en façade du côté sud un gros clocher du XIVᵉ siècle qui est éclairé par des baies géminées et coiffé d'un toit en pavillon surmonté d'un lanternon. Mais c'est au sud que, précédé d'un porche, le plus merveilleux des tympans va s'offrir à nos regards et à notre méditation.

Les anges sonnent les trompettes du jugement dernier, les morts sortent de leur tombeau et le Christ entouré des élus n'a pas besoin ici de la balance tenue par saint Michel. Il est à l'ombre de la croix sur laquelle Il s'est immolé pour que les hommes comprennent que chaque homme a lui aussi son immolation sur la terre et sa croix à porter. Il faut toujours payer, c'est notre rançon ; que celui qui n'a jamais ressenti la plus petite souffrance physique ou morale le crie à la face du monde ! Les deux registres inférieurs nous plongent dans l'apocalypse de saint Jean. « Un énorme dragon rouge-feu à sept têtes et dix cornes, chaque tête surmontée d'un diadème... on le jeta donc, l'énorme dragon, l'antique serpent, le Diable ou le Satan comme on l'appelle, le séducteur du monde entier, on le jeta sur la terre et ses anges furent jetés avec lui... » Le sculpteur de Beaulieu a représenté sept bêtes dont l'une a sept têtes, une autre un masque humain, les autres des

becs de proie ou des trognes énormes. Les bêtes sont lâchées...
à nous de nous défendre.

Entre la vision éternelle de Moissac dont nous allons parler
et le jugement dernier d'Autun (deuxième route) ou de Conques, Beaulieu réunit les deux thèmes. « Ne saviez-vous pas
qu'il fallait que le Christ souffrît pour entrer dans sa gloire ? »
Je pense à nos pèlerins qui ont souffert sur les chemins et
qui devaient être réconfortés par l'idée que la souffrance ouvre
le Paradis... De chaque côté du porche, des sculptures représentant d'une part les tentations du Christ et de l'autre, comme
à Ydes : Daniel dans la fosse aux lions et Habacuc enlevé par
un ange qui va lui faire porter de la nourriture. Mais c'est le
trumeau qui m'a toujours le plus impressionnée par son humanité. Porter un tympan comme les atlantes suppose faire un
effort considérable selon son âge et ses forces. Pauvres prophètes, car je suppose que ce sont eux ; leur mission remplie, ils
doivent encore supporter toute cette gloire et ne pas y être
introduits... Le plus jeune est sur les épaules d'un homme
à longue barbe qui a les pieds posés sur un animal. Telle une
cariatide, il a l'air de supporter le haut du trumeau très allègrement. Celui du milieu s'aide de ses mains et de sa tête et
celle-ci exprime la lassitude ; il foule aux pieds un monstre
à longs poils et à plusieurs queues qui mord la cuisse d'un
homme assis sous le grand personnage de la face latérale
droite. Au-dessus de lui le plus vieux des prophètes n'a plus
la force de lever les bras ; ils sont retombés le long de son
corps démesurément long et les mains s'agrippent l'une sur
la cuisse gauche, l'autre sur l'encadrement festonné afin de
maintenir la pauvre tête inclinée, aux yeux sans vie, à la
chevelure divisée en mèches, à la moustache et à la barbe en
forme d'épis, qui soutient seule le poids de la Gloire... De
chaque côté des pieds-droits : saint Pierre et saint Paul. Sur
un contrefort ouest, des remplois de taille inégale représentent des vices ; l'Avarice avec sa bourse au cou (comme à
Saint-Père-sous-Vézelay), la Gourmandise qui tient un plat et
la Luxure avec une femme nue que mord un crapaud. A
l'abside, des modillons représentant des personnages, des
animaux ou des copeaux, et l'on peut voir sur le mur d'une
chapelle absidiale les marques des tâcherons.

Abandonnons l'église et l'éclat de son tympan, contournons

les vieilles maisons et allons admirer l'une des plus belles rivières de France : la Dordogne. Elle réfléchit dans ses eaux calmes la chapelle des Penitents qui remonte au XIe siècle et dont la façade est couronnée d'un clocher pignon percé de plusieurs baies. Et puis prenons une barque pour nous détacher quelques instants de cette terre qui nous a saturés de la beauté jaillissant des fleurs de ses jardins ou inscrite dans la pierre de ses édifices... Demain, reposés, nous repartirons.

C'est le séjour de délices réservé par la nymphe Calypso au jeune Télémaque au bord de la Dordogne parsemée d'îles qui nous conduit à CARENNAC. Je crois que François de Salignac de Lamothe-Fénelon y retrouverait son cadre, car il eut en commende ce charmant prieuré.

Les hautes murailles flanquées d'échauguettes dominent la rivière ; une porte fortifiée que défend une tourelle nous permet d'accéder au portail de l'église. Nous sommes maintenant familiarisés avec ces tympans qui nous présentent dans la gloire le Christ triomphant. Mais ici Il n'est pas beau. Il est même laid de visage ; inscrit dans la mardorle Il est entouré des symboles des quatre évangélistes avec les apôtres en deux registres. Ils sont confortablement assis sur des chaises et font deux par deux une « aimable conversation, je pense sacrée » sans s'occuper du Maître. Deux anges s'inclinent au registre supérieur. On pense devant ce tympan à quelque devant d'autel d'orfèvrerie ; les bordures sont percées de trous comme pour recevoir des pâtes de verre ou des pierres de couleurs et un fond ocré fait encore ressortir davantage ces personnages qui portés par un faisceau de colonnes au sommet d'un perron faisaient entrer sous le porche précédant la nef tous ceux qui venaient, comme l'humble Girbertus, écrire sur une console « Benedicta sit anima ejus ».

Entrons dans la nef de ce prieuré bénédictin qui fut érigé par Cluny en doyenné au XIIIe siècle. Cette nef dépourvue de fenêtres est cependant lumineuse par la réverbération de la lumière venue des collatéraux ; elle est d'une simplicité qui semble voulue et qui donne une sorte d'exaltation. Vingt-quatre chapiteaux assez archaïques nous entraînent dans des visions d'animaux fantastiques et nous semblent antérieurs au tympan. Une porte près d'une Mise au Tombeau nous replonge dans une atmosphère de vieil ivoire ou de miel blond. Le cloître roman, refait à la fin du xve, a été très restauré. Les parties hautes sont transformées en terrasses ; elles devaient être en combles recouvertes de toitures à fortes pentes. Comme cette pierre chaude est belle ! Le soleil joue sur elle en la caressant et en lui laissant des paillettes roses et or... En ressortant nous retrouvons le cadre de cette parfaite harmonie avec les maisons recouvertes de petites tuiles dont les toits s'inclinent devant nous comme pour nous saluer. Je comprends ici pourquoi « le cygne de Cambrai » avait un style si souple et si fleuri, semblable à ce bel oiseau qui glisserait sous les branches des vieux arbres alignés au bord de la Dordogne...

La Dordogne nous entraînera jusqu'à SOUILLAC où l'abbatiale Sainte-Marie nous fait retrouver un nom familier, celui de saint Géraud que nous avons déjà rencontré à Aurillac. La guerre de cent ans et les guerres de religion se sont abattues sur l'abbaye et devant ce qui reste, le chevet qui passe pour un des plus beaux de France et les fragments du portail remontés à l'intérieur, on regrette la perte d'une œuvre qui devait être immense.

L'église a trois coupoles, dans cette région les sanctuaires ont l'air de donner l'impression d'une dilatation ; toutes les prières dites avec tant de foi dans la lumière dorée de ce Quercy donnaient l'impression de faire gonfler les coupoles. On a restauré la toiture avec une couverture en plaquettes de calcaire et bien marqué la forme des trois coupoles (deux étant auparavant cachées par un toit en pente) et, bien entendu, rajouté deux lanternons... Un chemin de ronde circule sous les combles et fait le tour complet de l'église.

Mais c'est à l'intérieur de la façade principale qu'il faut aller admirer les très belles sculptures, qui étaient jadis à l'extérieur. Tout d'abord un trumeau où deux félins adossés servent de socle à l'enlacement de bêtes de proie dévorant gazelle, chien, colombe et homme. Sur la face latérale droite, ce sont trois enlacements d'un homme barbu et d'une femme ; on a parlé, parce qu'il y a toujours des questionneurs et des gens qui veulent avoir réponse à tout, de la lutte de Jacob avec l'ange. Drôle de lutte où l'être jeune courbe humblement la tête sous la main de l'homme. Par contre la face latérale

gauche s'explique facilement. Abraham va immoler son fils
unique Isaac, et un ange dans une chute plongeante arrête
le bras du père et lui apporte un bouc. Au-dessous des pieds
des personages, le serviteur prêt à allumer le feu se cram-
ponne au feston du trumeau comme le vieillard à Beaulieu.
Quelle merveilleuse composition décorative avec la dégringolade de ces êtres enlacés où se mêlent pelages et plumages,
becs de proie ou gueules broyantes, loi de la jungle ou désir
du ruissellement de sang ! La Révélation primitive se serait-
elle dégradée ? Et pourtant le Christ n'a-t-il pas dit : « Si
vous ne mangez ma chair et si vous ne buvez mon sang, vous
n'aurez pas la vie en vous. »

Dans les parties hautes s'insère une sorte de tryptique sous
une triple voussure : les deux grands personnages sont saint
Benoît avec sa crosse et son livre « Sancta Regula », et saint
Pierre avec ses clefs. Au centre se déroulent les scènes essen-
tielles de la légende du miracle de Théophile. Ce diacre ambi-
tieux des honneurs fit un pacte avec le diable : la gloire contre
son âme. Il eut ce qu'il désirait, mais tenaillé par le remords
il supplia la Vierge d'arracher son pacte à Satan. Elle le fit
et le lui rendit. Peu de temps après il mourut en odeur de
sainteté.

Les Jacobites qui étaient partis de Notre-Dame, à Paris,
avaient déjà remarqué au-dessus de la Vierge à l'annel le
miracle de Théophile qui se déployait dans la pierre, et le
soir, dans leurs haltes nocturnes, les bateleurs jouaient ce
même miracle écrit par Rutebœuf. Des vers luisants brillaient
dans les parterres et la voix du diacre s'élevait : « Ah ! Dame
ayez pitié de moi ! Je suis Théophile le chétif, Théophile le
perdu, que les diables ont pris et lié. Je viens vous prier,
Dame, et vous crier merci, car je crains que celui qui m'a
mis en une telle détresse ne vienne s'emparer de moi. Autrefois tu me tins pour ton fils, belle Reine. »

Mais le chef-d'œuvre de Souillac, c'est le prophète Isaïe. La
matière est prise d'une sorte de jubilation, elle ondule,
palpite. Sous le tissu collé à la peau les jambes sont en position pour une danse exaltante, le corps se ploie, les mains
frissonnent sur le phylactère, la tête a été martelée, mais les
yeux dans des orbites d'une fixité extraordinaire, les lèvres qui
s'entrouvrent, le nez sans narines, la chevelure et la barbe en

rais ondulants donnent à ce visage un frémissement de vie.
A-t-il pensé à l'humble jeune fille qui reçut un jour l'annonce
de sa maternité divine, le sculpteur qui créa cet Isaïe si semblable à un messager de bonne nouvelle qui vient, dans une
arabesque, faire bondir la joie de vivre. Celui qui a vu l'Isaïe
de Souillac ne peut l'oublier ; aux heures de doute, de crainte
il se rappellera le messager de l'espérance.

Dominant le Causse dénudé, à pic, s'agrippant à une gorge
de l'Alzou

> *Les maisons sur le ruisseau*
> *Les églises sur les maisons,*
> *Les roches sur les églises,*
> *Le château sur le rocher.*

tel se présente devant nous ROCAMADOUR.

Nous avons vu, lors de la première route, débarquer à Soulac : Martial, Zachée et sa sœur Véronique avec son voile.
Ici vécut un ermite qui bâtit une chapelle sur le rocher qui
prit son nom. Mais la tradition honore en lui le publicain
Zachée, qui, petit de taille, grimpa à Jéricho sur un sycomore
pour voir passer Jésus. Sa petitesse lui aurait fait chercher
un lieu élevé pour se rapprocher du ciel. Le corps de l'ermite
fut retrouvé au XIIᵉ siècle, mais ce n'est pas Saint-Amadour
qui constitue le but du pèlerinage : c'est encore ici la Vierge.

Il devait y avoir à cet emplacement un culte à une déesse
de la terre et nous savons que sous l'autel de la Vierge un
autel druidique est enfoui. La statue est une Majesté de la
fin du XIIᵉ siècle, noircie, grossièrement taillée, partiellement
revêtue de lamelles d'argent, assise sur un bloc évidé en
reliquaire, c'est-à-dire une œuvre chrétienne et occidentale.
Elle était, bien entendu, habillée et par sentiment artistique,
on a forcé M. le Curé à la déshabiller car nos authentiques
Vierges anciennes de grands pèlerinages sont rares.

Il reste des vestiges de murailles, cinq portes fortifiées, une
unique rue, des vieilles maisons, le Fort ou palais de l'évêque de Tulle traversé par un passage voûté. Cluny avait enrôlé
Tulle dans la croisade d'Espagne et Tulle y avait enrôlé les

moines et les pèlerins de Rocamadour. Des chapelles sont nombreuses, dédiées à saint Jean-Baptiste, sainte Anne, saint Blaise, saint Jean l'Evangéliste, saint Amadour ; puis sur une plate-forme l'église Saint-Sauveur avec au-dessus la crypte de saint Amadour ; la chapelle Notre-Dame donne entrée dans la basilique, sur son mur la légende des Trois Morts et des Trois Vifs, et sur l'abside de la chapelle Saint-Michel une Annonciation et une Visitation. Ces deux dernières fresques sont d'une étrange majesté et s'allient au décor qui les environne. On a dû entailler le roc et rendre lisse la surface, et, bien qu'au grand air, elles n'ont pas été restaurées et semblent être du XIIIᵉ siècle. La chapelle Saint-Michel, comme toutes les chapelles dédiées à ce saint, construite sur la hauteur, est une excavation du rocher fermée par un mur et dont la paroi est peinte à fresques.

Je me rappelle avoir appris toute petite fille des vers de Henri de Bornier :

> *Joyeuse est fière et libre après tant de combats*
> *Et quand Roland périt dans la sombre journée*
> *Durandal des païens fut captive là-bas*
> *Elle est captive encore et la France la pleure...*

Aussi lorsque quelques années plus tard, à Rocamadour, je vis Durandal, l'épée de Roland, plantée dans la roche, j'interrogeai les grandes personnes. Elles me répondirent : « Celle-ci, c'est la fausse. » Est-ce depuis ce jour que j'ai douté de l'authenticité des reliques ?

Nous redescendons le rocher aux tons d'ocre jaune ou d'ocre rouge : partout la fausse épée de Roland a dû faire des brèches ; la rivière soudain se perd, s'enfonce en terre et reparaît. Dans le silence une cloche tinte... Est-ce celle du VIIIᵉ siècle dont on ignore la provenance ? Je me demande si un jour ce bastion qui se dresse au-dessus de l'abîme et qui bouche l'horizon ne s'effondrera pas emportant avec lui dans quelque gouffre le secret de Zachée le publicain...

A ROCAMADOUR on s'est efforcé de remettre en valeur le véritable Roc Amadour médiéval, les voûtes de la crypte de Saint-Amadour située sous la basilique, débarrassée de son crépi a fait réapparaître de très belles croisées d'ogives. La

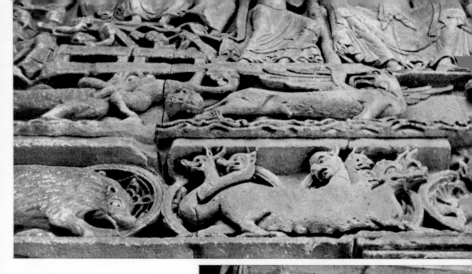

BEAULIEU-SUR-DORDO-DOGNE (Corrèze) : la bête de l'Apocalypse au registre inférieur du tympan du porche sud.

SOUILLAC (Lot) : Le célèbre « Prophète Isaïe ».

CAHORS : coquilles des culots de voûte du cloître.

BEAULIEU-SUR-DORDOGNE(Corrèze) : Le vieillard du trumeau.

CAHORS : un coquillard et un moine se disputent dans le cloître.

MOISSAC (Tarn-et-Garonne) : le prophète Jérémie.

MOISSAC : salle du premier étage du clocher.

BRIGNOLLES (Var) : ci-dessus, dans l'église, fragment du sarcophage de la Gayolle.

GANAGOBIE (Basses-Alpes) : portail du prieuré clunisien.

MARSEILLE : la coupole octogonale de la Major, une des
plus belles productions de l'architecture romane provençale.

SAINT-GUILHEM-LE-DÉSERT (Hérault) : une vue
du village et des falaises qui surplombent l'Hérault.

maison de la Pommette a été restaurée, l'Hospitalet et May-rinhac-le-Francal possèdent des chapelles qui sont redevenues vivantes.

Reprenons le Causse et son paysage sauvage pour redescendre retrouver les pèlerins qui nous attendent à Figeac. La route initiale reprend et nous amène à MARCILHAC. Des bénédictins de Moissac fuyant les invasions normandes auraient fondé une « cella » en un lieu quasi inaccessible près de la rivière de Figeac, le Célé. Par les ruines du XIIe siècle qui subsistent, on peut juger de l'importance de cette abbaye, qui dresse encore sa tour carrée unique par-dessus les toits du village.

J'ai visité Marcilhac par une pluie torrentielle. Je m'étais mise à l'abri sous le portail sud au-dessus duquel figurent des remplois carolingiens avec le Christ entre le soleil et la lune entouré de deux anges et de saint Pierre et saint Paul. Un brave paysan qui sans doute allait travailler au champ s'était arrêté lui aussi. La pluie cessa aussi rapidement qu'elle était tombée ; l'homme, en s'en allant, me montra les ruines qui nous environnaient. « Allons au travail », me dit-il. Mais les frères convers sont trop peu nombreux pour entreprendre de telles restaurations à travers la France entière et le service des Monuments Historiques trop pauvre pour les faire entreprendre. Alors la végétation recouvrira peu à peu ce que la Foi a construit et ce que la haine a détruit. Mais à Marcilhac il n'y a plus rien d'autre à faire. Des travaux de dégagements et de recherches ont pourtant commencé, qu'ils fassent vite.

CAHORS, c'est le pont Valentré. Mais pourquoi a-t-on détruit le châtelet qui le précédait avec une petite chapelle dédiée à la Vierge au-dessus ? Il reste ses huit arches et ses trois tours et nous pouvons être fiers de cette unique construction d'époque qui nous reste et qui, paraît-il, n'a de rivale que le pont Charles à Prague.

Cahors, c'est encore le souvenir du pape Jean XXII natif de cette ville ; vivant à Avignon, il s'était fait construire un palais dans sa ville natale avec une magnifique tour, et il envoya les artistes-peintres qui travaillaient au palais des

Papes exécuter la décoration des deux coupoles de la cathédrale.

La façade de cette cathédrale est austère avec sa muraille à peine percée de six fenêtres et dont le clocher prend l'allure de donjon. La rose et les rosaces sont des adjonctions tardives. La nef à deux coupoles. Les peintures de la coupole orientale ont disparu, celles de la coupole occidentale découvertes en 1872 ont subi des restaurations prudentes. Elles représentent la lapidation de saint Etienne, auquel l'église est dédiée, et qui est entouré des prophètes hauts de près de 5 mètres. Mais le beau portail roman qui était à la façade ouest a été remonté, vraisemblablement au XIII° siècle, au portail nord et c'est lui que la plupart des touristes, pressés d'aller plus loin, oublient de connaître.

Nous avons déjà vu sur cette route « l'Ascension » de Mauriac, celle de Collonges. Ici à Cahors, le Christ nimbé dans la splendeur de sa gloire fait tomber les anges qui ne peuvent soutenir l'éclat de sa lumière. Au registre inférieur dans des arcatures, la Vierge et les apôtres tremblants d'émotion se recontent ce qu'ils viennent de voir. De chaque côté du Christ dans la mandorle est racontée la lapidation de saint Etienne. Saul n'est-il pas là pour garder les vêtements du martyre ? Tout autour du portail qui s'avance, des arcatures étroites entre lesquelles ont poussé des fleurs en boutons et d'autres écloses. Je regrette d'une part la restauration pourtant nécessaire et d'autre part que ce portail soit en plein nord où le soleil ne le nourrit plus de ses rayons.

Dirigeons-nous vers la porte sud qui se découpe dans un arc tréflé sous une double moulure dans une arcade cintrée à ressaut ; et de là allons nous promener dans le cloître construit au début du XVI° siècle. Si l'arc tréflé ne nous rappelait pas l'Espagne, les doubles coquilles des culots de voûtes nous rediraient que nos pèlerins sont passés par là et que parmi eux un « coquillard » et un moine sont prêts à bondir l'un sur l'autre dans un corps à corps qui doit mal finir. Le fanatisme protestant qui a dévasté ce cloître lui a laissé ce témoin : l'habit ne fait pas le moine, la coquille ne fait pas toujours des pacifiques...

Au lieu de suivre la route, faisons un petit crochet au nord pour aller jeter un intéressant coup d'œil à l'église DES ARQUES qui était un prieuré-doyenné dépendant de l'abbaye de Marcilhac. Extérieurement un grand délabrement, qui se retrouve à l'intérieur, cependant avec un détail curieux. Un passage unissant l'abside aux absidioles s'ouvre dans la travée du chœur, sous une arcade outre-passée dissymétrique, issue d'un socle en quart de rond et terminée en bec de corbin sur console portée par une colonne avec un chapiteau feuillu. Seulement l'arc est actuellement tellement malade qu'il a reçu un étayage, lequel faut de crédit pourra durer aussi longtemps que lui.

Non loin de cette église romano-mozarabe existait une modeste CHAPELLE SAINT-ANDRÉ. Le sculpteur Zadkine, en vacances dans la région, la visita en 1954. Il crut apercevoir quelques traces de couleur à la voûte. M. le Curé des Arques fit décaper les murs et les fresques réapparurent. Elles représentent une Annonciation, les douze apôtres, un saint Christophe et, à la voûte de l'abside semée d'étoiles rouges, Dieu le Père assis sur un trône demi-sphérique, la tête coiffée d'une tiare monumentale. Quel est le peintre qui a fait le visage et les mains de la Vierge noirs, et qui a mis autour de Dieu le Père les symboles des quatre évangélistes ?

En redescendant vers le Lot, un troupeau de toitures aux petites tuiles patinées, serré autour de son clocher, entouré de collines nous annonce DURAVEL. Une abbaye y fut fondée, fidèle gardienne des reliques de trois ermites de la Thébaïde : saint Hilarion, disciple de saint Antoine, saint Polémon et saint Agathon. « Ces corps saints » furent placés dans une crypte qui est parvenue jusqu'à nous. En son milieu quatre colonnes supportent la lourde voûte d'arêtes délimitant ainsi une nef et des bas-côtés. Elle est un parfait carré de six mètres de côté et possède de très beaux chapiteaux dont le décor est assez rude, à part un qui mérite d'attirer l'attention. Il représente un paon faisant la roue avec un bec étiré en double spirale comme une trompe d'insecte. Dans la gorge de la base de la colonne un serpent tord ses anneaux. Le phénix, oiseau fabuleux qui renaissait de ses cendres, a été incorporé au paon, et cet oiseau est ainsi devenu symbole d'immortalité. Ici il est la vie ayant à ses pieds la mort.

Duravel dépendait de Moissac et ce site abrité des bises du nord, livré au soleil du midi, devint le prieuré des moines malades ou convalescents. Les pèlerins descendaient dans la crypte, les moines priaient dans l'église, et les jours ont passé...

Quelques moulins aux ailes immobiles et nous sommes à Moissac.

La bataille de Tolbiac a beaucoup fait parler d'elle. Grâce à elle, nous dit l'histoire, et à son succès de dernière heure, Clovis s'est fait baptiser à Reims (on ignore la date exacte), il a fait dresser sur le mont Lecotitus à Lutèce (à l'emplacement de notre Panthéon) l'église Saint-Pierre-Saint-Paul délimitée par le tracé de sa francisque et, ajoute la légende, durant la bataille le roi aurait lancé son épée qui serait tombée au milieu de marécages, en un lieu où a été fondée l'abbaye actuelle de Moissac.

Il fallait à ce sommet de l'art chrétien la légende d'un roi païen dont le baptême a baptisé toute la nation française. Une petite plaque encastrée dans le mur du chevet de l'église (côté nord) donne la date de 1063 comme consécration de l'église et ajoute :

Le roi Clovis fonda pour vous, ô Christ cette église
Par la suite, Louis (le Débonnaire) *la fit croître par ses dons*

Tour fortifiée, nef qui a perdu ses coupoles remplacées par des ogives, abbaye ravagée par les Sarrazins, les Normands, les Albigeois, les révolutionnaires, elle a cependant gardé intacte la vision de l'apôtre saint Jean le bien-aimé.

Réfugions-nous sous le porche qui a l'air de venir au-devant de nous ; nous sommes à Patmos et une voix se fait entendre : « Monte ici, que je te montre ce qui doit arriver par la suite. » Voici qu'un trône était dressé dans le ciel et, siégeant sur le trône, Quelqu'un...

Vingt-quatre sièges entourent le trône sur lesquels sont assis vingt-quatre vieillards vêtus de robes blanches, avec des couronnes d'or sur leurs têtes. Au milieu du trône, autour de Lui, se tiennent quatre Vivants constellés d'yeux par-devant et par-derrière. Le premier Vivant est comme un lion, le deuxième Vivant est comme un jeune taureau, le troisième Vivant a comme un visage d'homme, le quatrième Vivant est comme un aigle en plein vol. Ils ne cessent de répéter jour et nuit :

Saint, Saint, Saint
Seigneur Dieu, Maître de tout
Il était, Il est et Il vient.

Alors j'aperçus dans la main droite de Celui qui siège sur le trône un livre roulé scellé de sept sceaux... Alors j'aperçus debout, entre le trône aux quatre Vivants et les Vieillards, un Agneau comme égorgé. »

Vision apocalyptique un peu modifiée, car l'Agneau c'est ici le Christ entouré du tétramorphe et ayant dans sa main gauche sa loi d'amour : l'évangile. Ce tympan est certainement l'agrandissement de quelque miniature et c'est la plus ancienne représentation aux tympans des églises ; le jugement dernier vient après. Expliquer, détailler serait employer des mots sans vie ; il faut voir... car tout ici est vie... Les coupes d'or pleines de parfums semblent l'exhaler et les harpes (cithares) vibrent sous les doigts des vieillards. Imaginons ce même tympan au portail central de Cluny et nous comprendrons mieux encore à quel point cet ordre a marqué nos routes et le constant rapport entre la maison-mère et ses enfants.

« Une porte s'est ouverte dans le ciel », abaissons maintenant notre regard le long du trumeau. Trois couples de lions et de lionnes, dressés en X, s'étirent, se projettent en escalade et semblent faire bondir plus haut encore la vision de saint Jean. Rappelons-nous Souillac et sa dégringolade sanglante. Ici c'est un orient fantastique mais austère. Sur la face latérale, le prophète Jérémie. Souvenons-nous de l'Isaïe de Souillac, ce messager de la joie ; Jérémie, lui, incline la tête avec une tristesse noble, il avance, son phylactère à la main, mais ce qu'il vient dire n'est pas pour réjouir le cœur, car il annonce la ruine de sa Patrie, ce qui lui arrache des plaintes douloureuses qu'on appelle ses lamentations. De l'autre côté, saint Paul, la tête droite, semble redire par toute son attitude, par l'absence totale de sa propre personnalité, son épître aux Galates : « Celui-là est le plus libre parmi les hommes libres, qui réussit à se libérer de son propre moi ! Ce n'est plus moi qui vis, c'est le Christ qui vit en moi ! »

Aux pieds-droits, saint Pierre et Isaïe, et le même festonnage encadre les deux portes. De chaque côté du porche en opposition Annonciation, Visitation, et Adoration des Mages, avec la luxure, l'avarice et l'orgueil et dans les frises Présentation au temple et Fuite en Égypte, avec le mauvais riche et le pauvre Lazare. Avant de rentrer dans l'église, reculons-nous et, d'un dernier regard à travers les tissus à larges plis, amples et majestueux, la richesse d'ornementation, oubliant chaque personnage, recherchons le signe essentiel qui, hors du temps, se dégage.

Dans l'église nous admirerons un Christ du XIIᵉ siècle, très peu connu, dont la mort s'étale sur un « arbre de vie ». Après avoir franchi le parvis de l'hôtellerie, nous entrons dans le cloître. Ici règnent la paix et le silence. Les fantômes des moines hantent encore ce lieu ; leurs pas devaient n'y faire aucun bruit ; seul le murmure de l'eau qui retombait dans un bassin de marbre devait rythmer leur longue procession. La fontaine n'existe plus mais les chapiteaux historiés sont toujours là, ainsi que l'inscription de la dédicace : « L'an de l'Incarnation du Prince éternel 1100, ce cloître fut terminé... » Nous marchons à travers l'Ancien Testament, le Nouveau, la Vie des Saints, et voici même une inscription au tailloir d'un chapiteau, en caractères coufiques : « Louange à Dieu l'Unique ». Au hasard, nos yeux se portent sur Daniel dans la fosse aux lions représenté deux fois, l'évocation pittoresque des Noces de Cana, et saint Martin que nous retrouvons en train de couper son manteau.

Dans le fond de la galerie occidentale s'ouvre la porte du clocher. La salle du premier étage est couverte par un dôme côtelé de douze nervures qui s'allongent pour se terminer en une ouverture en forme de cercle. Quels sont les hommes qui demeuraient là, quels sont ceux qui y sont passés ? Tous ceux qui sont venus à Moissac ont compris que l'adoration n'est pas seulement un mot vide de sens et que la passion du beau peut exister. Heureux pays que le nôtre qui a su mettre au monde de tels édifices !...

Il existe encore en France une cité féodale qui est restée un vivant témoignage de son époque et qui se nomme CORDES. De là également partaient les pèlerins qui s'y étaient rassemblés après que la petite ville fût devenue la propriété du frère de Louis IX. Trois enceintes, de vieilles portes, de belles maisons, une église fortifiée, un puits de 85 mètres de profondeur et de petites ruelles où l'herbe pousse nous transportent des siècles en arrière...

Non loin d'OSTABAT, au lieu-dit « Gibraltar », une stèle a été élevée à la jonction des routes qui venaient de Paris, Vézelay et Le Puy. Au flanc de la colline vers le sud, on aperçoit le « camino » qui conduit à l'Espagne. C'était l'ultime rassemblement pour franchir ensemble le col de Ronceveaux.

A proximité à HARAMBELS existait un hospice pour les pèlerins de Saint-Jacques fondé par quatre familles qui s'occupaient de l'œuvre. Les descendants de ces laïcs sont toujours propriétaires de l'église qui a une intéressante décoration intérieure.

Il reste la Garonne à franchir, l'Adour, le Gave de Pau, celui d'Oloron et nous retrouvons les Jacquaires des deux premières routes à OSTABAT. Ce soir nous arriverons à SAINT-JEAN-PIED-DE-PORT qui a conservé quelques aspects très pittoresques avec ses vieilles murailles. Nous irons dormir à quelques lieues de là dans une grange que Elie Lambert avait retrouvée quelques années avant sa mort et qui garde encore malgré sa défiguration ses étroites fenêtres. Combien cette dernière nuit qui va résumer la longue route depuis le Puy va être longue en visions d'une richesse qui parfois dépasse l'imagination. Je rêve que la Vierge noire du Puy n'a pas été brûlée le 8 juin 1794 ; celle que la chaleur du brasier fit éclater et qui laissa échapper un parchemin roulé était une Vierge occidentale ; où donc serait celle qui faisait monter les foules le grand jour où le Vendredi-Saint coïncidait avec la fête de l'Annonciation le 25 mars ? Si elle reprenait sa place dans le chœur de l'église, tous les fils de la Mère reviendraient comme des « fils » tisser la plus belle dentelle sur la campagne vellave ?... Les Causses qui bleuissent à l'horizon résonnent de l'écho des « Magnificat » et soudain un autre écho me renvoie les suppliques adressées à une « Mère noire nommée Soulivia » qui existait avant la Vierge de Rocamadour... Vision apocalyptique de Moissac, Gloire de Beaulieu, Jugement dernier de Conques... Mais par-dessus se détache la vision de l'Isaïe de Souillac qui nous redit la joie de vivre en espérant toujours... Car nous dit Péguy :

Elle fait de l'eau pure avec de l'eau mauvaise,
Des jours jeunes avec de vieux jours...
Des matins jeunes avec des vieux soirs...
Des âmes claires avec des âmes troubles...

Demain nous nous lèverons à l'aube, nous visiterons l'église de Saint-Jean-Pied-de-Port avec son tympan festonné et dans l'aurore naissante nous franchirons le pont de France. L'Espagne est là toute proche...

QUATRIEME ROUTE

Mon accent ! Il faudrait l'écouter à genoux
Il nous fait emporter la Provence avec nous
Et fait chanter sa voix dans tous mes bavardages
Comme chante la mer au fond des coquillages
Ecoutez ! En parlant je plante le décor
Du torride midi dans les brumes du nord...

— Nous avons le décor, cher Miguel Zamacoïs. C'est une route où les oliviers aux troncs rabougris projettent l'ombre dure de leurs feuillages bleu gris, où flotte dans l'air le parfum des orangers, et j'y vois marchant dans sa robe de bure le pauvre d'Assise... Car en 1214 saint François, celui qui nous a donné la charmante initiative des crèches de Noël, celui-là même qui a chanté son hymne au soleil, a voulu lui aussi faire son pèlerinage à Santiago et a traversé la Provence qui, à son passage, a reconnu son fils puisque, par sa mère, dans ses veines battait le sang de cette province de lumière...

Nous allons, nous aussi, nous mettre en route à sa poursuite et nous réunir à la ville du départ de cette quatrième route : ARLES.

Colonie grecque dont le nom était « Nourricière », devenue assez vite colonie romaine. Arles fut christianisée par saint Trophime qui y fut envoyé par saint Pierre.

Notre lieu de réunion est unique au monde, il se nomme les Aliscamps. Là était un cimetière païen ; l'antique nécropole devint chrétienne et c'était la plus vaste de toute la chrétienté. Nul ne saura jamais pourquoi arrivaient à toutes heures du jour et de la nuit, dans des cercueils ou de simples tonneaux sur des radeaux, des morts qui apportaient avec eux « le droit de mortellage ». Les fossoyeurs les attendaient car jamais ils ne dépassaient le but prévu et, proportionnée à la somme qui les accompagnait, ils recevaient une dernière demeure en pierre avec inscription. Le Guide du pèlerin de Saint-Jacques nous dit qu'il y en avait « un bon mille au carré, plus on regarde au loin, plus on voit s'aligner la file des sarcophages ». Mais ils ont disparu ; ils sont dans les musées où l'on voit les tombeaux dédiés aux dieux lares voisiner avec ceux qui sont ornés de croix, ou bien, brisés, ils ont servi de matériau à construire. Certains rois ou reines, Catherine de Médicis entre autres, voulant faire des cadeaux « pas trop onéreux » firent charger tout un bateau de ces tombeaux antiques ; l'un d'eux, sans doute trop lourd, naufragea dans le Rhône. Ils doivent encore être...

Il n'existe plus que quelques tombeaux sur deux ou trois rangs à l'ombre de pins et de cyprès dans des allées bordées de peupliers. Je cherche en vain la tombe de Vivien, le neveu de Guillaume d'Orange, qui, comme Roland, est tombé à Roncevaux et qui a été transporté là. Ce cimetière mélancolique n'est plus que le reflet de naguère ; ses sept églises ont disparu et la construction de la voie ferrée a affreusement dégradé ces lieux sacrés qu'on appelait les « champs Elysées ». Comment a-t-on pu consentir à une telle dégradation ! Je ne comprends pas que les âmes de tous ces morts enterrés là et celles de tous les pèlerins qui, vivants, sont venus se rassembler ici pour le grand départ, ne se soient pas liguées pour que « ces nécessités pratiques » soient déplacées un peu plus loin, là où n'existe pas le culte du souvenir.

Si les églises desservies par les moines de Saint-Victor de Marseille sont détruites, il reste en partie l'admirable église Saint-Honorat, qui remonte à l'époque carolingienne et fut reconstruite au XIIe siècle. Saint Genès, qui vécut au IVe siècle et fut martyrisé par les Romains de l'autre côté du fleuve, à Trinquetaille, y fut enterré. Je regarde l'abside sur crypte, les deux absidioles, le renforcement des piliers et surtout le clocher octogonal à deux étages qui est la plus belle tour romane de Provence. Nos pas vont nous conduire à l'église

Saint-Trophime, où nous allons faire connaissance avec l'art roman provençal. Colonnes avec chapiteaux corinthiens, pilastres cannelés, statues dans des niches, voici l'apport de Rome. Personnages qui ont les pieds posés sur des lions, lesquels souvent déchirent des proies, thème emprunté à l'Italie du Nord, et comme cette école s'est développée longtemps après elle a donc profité de ce qui avait été trouvé dans les autres.

Dans le tympan, le Christ entouré des symboles des quatre évangélistes ; au-dessous, les douze apôtres. La frise qui prolonge le linteau montre à gauche la procession des élus, à droite celle des damnés. De grands personnages apparaissent entre les pilastres : les apôtres, dont notre saint Jacques le Majeur et saint Trophime en costume épiscopal.

La nef de cette église en berceau brisé est la plus haute de Provence ; les bas-côtés très étroits sont voûtés en demi-berceau, comme le seront toutes celles de ce roman provençal. Le clocher de style lombard, dont le dernier étage ne date que du xviiᵉ siècle émerge au-dessus du cloître. Ce magnifique cloître a deux galeries romanes, celles du nord et de l'est ; celles de l'ouest et du sud sont du gothique xivᵉ. Les grandes statues des piliers d'angle ont trait principalement aux souvenirs arlésiens. Nous allons faire la connaissance de Gamaliel qui, suivant la tradition arlésienne, a été l'inventeur des reliques de saint Etienne. Nous voyons du jardin du cloître la couverture de l'église en larges pierres taillées mises en retrait les unes des autres, qu'on appelle « lauzes » et qui conviennent à ce pays de mistral où la tuile est emportée comme fétu de paille...

Avant de partir, je pense à saint Aignan, dont nous avons parlé sur la première route et qui partit d'Orléans (Genabum) pour venir demander de l'aide à Aétius qui était à Arles. Les kilomètres n'effrayaient pas à cette époque et quand il le fallait, « se mettre en route » était spontané.

A ce centre de ralliement étaient arrivés les pèlerins du nord depuis Toul, Langres et Dijon. Saint Bénigne a évangélisé Dijon à la fin du iiᵉ siècle et y a été martyrisé. Sous le chœur gothique il reste l'admirable crypte qui existait au-dessous de la rotonde érigée au début du xiᵉ siècle et détruite à la Révolution. Cette crypte mérite une visite. Elle comprend une

rotonde centrale de huit colonnes entourée de deux autres
colonnades circulaires, l'une de seize colonnes isolées, l'autre
de vingt-quatre colonnes adossées, sauf deux à l'ouest. Les
chapiteaux sont lourds, deux têtes très stylisées apparaissent,
l'une à longue barbe encadrée de ses deux mains.

Saint Marcel (pas celui qui fut évêque de Paris à la fin du
IVe siècle, mais un autre) évangélisa Cabillonum, aujourd'hui
CHALON-SUR-SAONE et fut martyrisé aux portes de la ville en
177. A trois kilomètres de là, s'élève dans un petit bourg une
église bâtie par Cluny ; c'est là que mourut Abélard le 2 avril
1142, mais ses restes mortels furent secrètement envoyés au
Paraclet sur le désir d'Héloïse. C'est près de Nogent-sur-
Seine qu'Abélard avait fondé ce monastère. Ils furent réunis
dans la mort, mais que sont-ils devenus ? Au Paraclet, le tombeau est vide et le mausolée qui est au Père-Lachaise n'est
qu'une œuvre de pierre !.. Revenons à Châlon-sur-Saône, dont
la façade de la cathédrale Saint-Vincent est entièrement défigurée depuis le XIXe siècle, mais dont les chapiteaux sont intéressants. Ceux qui veulent tout expliquer par « le symbole »
vous diront qu'ils découlent des théories pythagoriciennes ;
j'ai toujours pensé que le rôle de l'église a été de christianiser
et non de détruire ce qui avait été païen.

Sur la première route nous avons évoqué « les moines
errants » de Noirmoutier qui, pour préserver la dépouille de
leur saint fondateur, allèrent jusqu'à TOURNUS en Bourgogne,
en s'arrêtant à Saint-Pierre de Buxeuil dans le Maine, à
Cunault en Anjou, à Messay en Poitou et à Saint-Pourçain-sur-
Sioule. Long vaisseau composé d'un grand narthex, église en
forme de croix, transept dont les croisillons font une saillie
accentuée, chœur entouré par un déambulatoire avec trois
chapelles rayonnantes de plan carré, voilà Saint-Philibert de
Tournus.

Entre deux tours surgit devant nous la façade, véritable mur
de forteresse avec uniquement des meurtrières et une décoration de bandes et d'arcatures lombardes. C'est l'architecture
pour l'architecture, dans toute la beauté de sa nudité. Au-
dessus : au nord, un clocher ; au sud, une chapelle dédiée
à saint Michel. Mais c'est à l'intérieur, après avoir franchi le
narthex trapu et massif où, raconte-t-on, les abbés jamais
soumis à Cluny, indépendants et florissants se faisaient

enterrer debout... que nous recevons un choc. Les hauts piliers cylindriques en moyen appareil supportent des arcs à claveaux alternés dont la symphonie est rose et blanc, portant de petits murs diaphragmes sur lesquels reposent les berceaux transversaux de la voûte. Les nefs latérales sont voûtées en voûtes d'arêtes sur doubleaux de teinte chaude. Nous n'irons pas nous réfugier dans la crypte pour savoir si les reliques de saint Philibert et celles de saint Valérien (compagnon de saint Marcel de Châlon qui fut martyrisé en 179) y sont encore. Nous monterons chercher l'Archange dans sa chapelle haute et à travers les arcades, dans cette couleur de chair vivante, nos yeux partiront de la base de ces colonnes qui, comme un jet silencieux et majestueux, montent dans cet univers de rayonnement.

Un cloître s'étendait entre l'église et le réfectoire ; on a dégagé les arcades de la partie contre l'église, de celles éclairant la salle capitulaire, et l'on a supprimé un plancher qui divisait en deux l'ancien réfectoire. Un dernier coup d'œil au clocher central plus tardif, une vision au fond du cœur et nous repartons.

LYON est arrosé par trois fleuves : le Rhône, la Saône et « le Beaujolais », ainsi parle le dicton. L'archevêque de Lyon est aussi primat des Gaules ; cette ancienne Lugdunum fut évangélisée vers le milieu du IIe siècle. C'est en 177 également que l'évêque saint Pothin fut emprisonné et que la petite Blandine fut martyrisée. Le successeur de Pothin, saint Irénée, y subit aussi le martyre sous Septime-Sévère, aux environs de 202.

Deux abbayes bénédictines pouvaient accueillir les pèlerins. L'une dans une petite île de la Saône : l'île Barbe. Elle avait été restaurée sous Charlemagne ; il en subsiste des restes englobés dans diverses propriétés, mais il faut aller dans le vieux Lyon, au musée historique, en l'hôtel Gadagne, pour y voir d'intéressantes sculptures provenant de cette abbaye. Il y avait aussi une église bâtie par l'abbé Ogier vers 1070 ; il en reste l'abside semi-circulaire percée de trois fenêtres en plein cintre — et sept autres églises ou chapelles dévastées en 1562.

L'autre abbaye s'inscrivait aussi dans un très beau site. Le Rhône et la Saône joignent leurs eaux en amont « du pré d'Ainay » et c'est dans ce décor fluvial, au creux des prairies, des vergers et des jardins que les moines de Saint-Benoît priaient Dieu dans une église consacrée par le Pape Pascal II en 1107, ornée d'une crypte dédiée à sainte Blandine, et dédicacée à saint Martin, évêque de Tours. De cette église, la partie la plus originale est sans conteste le clocher-porche, mais, hélas ! depuis 1830, il ne fait plus saillie en avant de la façade est. A cette date, en effet, on le flanqua sur sa droite et sur sa gauche de deux porches latéraux. A l'intérieur, la tradition attribue la provenance de deux colonnes à un ancien monument romain de Lugdunum. L'église a été très restaurée mais, sur un plan reconstitué de l'ensemble architectural, on voit des bâtiments pour étrangers fort importants.

Aux environs proches de Lyon il y avait un pèlerinage à Sainte-Foy, ce qui rentre dans l'extension prévue par Conques (troisième route) ; le village porte le nom de Sainte-Foy-lès-Lyon. L'église possédait un très beau clocher restauré en 1890, avec un zodiaque comme à la façade de celui de Saint-Martin d'Ainay (ce dernier ne représente pas exactement les signes du zodiaque mais des scènes de bêtes et de personnages). Le zodiaque de Sainte-Foy-lès-Lyon est aussi au musée historique de Lyon.

A VIENNE, on trouve le souvenir de Ponce-Pilate, ce gouverneur de la Judée, qui s'est lavé les mains parce qu'il ne voulait pas se compromettre dans la mort d'un innocent et qui, sans doute poursuivi par le remords, s'est jeté dans le Rhône à cet endroit. Mais il n'y reste pas seulement le souvenir de ce drame ni celui d'Auguste et de la divine Livie. Il y a à visiter l'église de Saint-André-le-Bas, avec son cloître et l'ancienne église Saint-Pierre (aujourd'hui musée lapidaire) dont certaines parties remonteraient à l'époque mérovingienne. La cathédrale Saint-Maurice a aussi un intéressant zodiaque, très ingénieusement composé.

Ceux qui venaient des Alpes et passaient à GRENOBLE ne pouvaient pas ne pas s'arrêter à l'un des plus anciens monuments chrétiens de France, avec le baptistère de Poitiers (première route) et la crypte de Jouarre, en Seine-et-Marne : c'est l'oratoire Saint-Oyant de Grenoble.

L'église supérieure rebâtie au XIᵉ siècle est dédiée à saint

Laurent ; dessous se trouve l'oratoire mérovingien du vi⁰ siècle. Il est en forme de croix latine avec deux absides oppo-
sées ; au transept deux autres absides, dont celle de gauche
garde un banc de pierre circulaire destiné au clergé. La voûte
est faite de tuf dans lequel sont intercalées dans le sens de la
longueur des briques larges et épaisses ; elle retombe sur vingt
colonnettes dont quatre ont été refaites en 1850. Les colonnes
sont en marbre ou en calcaire ; afin qu'elles soient de même
hauteur on intercala au-dessus des chapiteaux une imposte
sculptée ou simplement deux épaisseurs de marbre. Comme
décoration de motif végétal : des feuilles d'acanthe, des pal-
miers, des régimes de dattes ; comme motifs animés : l'agneau,
la chimère, et la croix grecque toujours accompagnée de
colombe. Un chapiteau possède une chouette sur une coquille,
décoration empruntée aux monnaies d'Athènes.

Avant de quitter ce premier lieu de culte des chrétiens de
Grenoble, je pense à Bayard qui, né près de cette ville, a,
paraît-il, effectué entre deux batailles son pèlerinage à Santiago. Qu'allait-il chercher là-bas, ce « chevalier sans peur et
sans reproche » ? Est-ce saint Jacques qui armait son bras
lorsqu'il défendait seul contre deux cents cavaliers espagnols
le pont de Garigliano ?

La descente du Rhône nous amène au pont d'Avignon.
Bénézet, jeune pâtre du Vivarais entendit des voix qui lui
ordonnaient de construire un pont sur le Rhône. Traité de fou,
il sut cependant convaincre les autorités civiles et religieuses
et fonda sans le savoir la confrérie des « Frères Pontifes ».
Cette confrérie, contrairement à la légende, ne se déplaçait
pas de ville en ville pour édifier des ponts, mais s'occupait
des pèlerins, assurait l'entretien des ponts et le paiement des
péages. Les confrères du Pont-Saint-Esprit, par exemple, n'ont
disparu qu'en 1794.

Ce pont de 900 mètres de long aboutissait à Villeneuve-les-
Avignon au pied de la Tour de Philippe le Bel. Il ne lui reste
plus que quatre arches et le souvenir de tous ceux qui venaient
danser dans les prairies de l'île de la Barthelasse. Car Ville-
neuve-les-Avignon, c'était la France, le Rhône appartenait à
la couronne, mais Avignon était la Provence, terre d'Empire.
La colline est couronnée d'une vaste enceinte de murailles

flanquée de tours imposantes. A l'intérieur de ce fort Saint-André existaient le bourg et l'abbaye bénédictine.

Cette abbaye, fondée au VIe siècle, à peu près entièrement reconstruite au XVIIe, fut ruinée en partie durant la Révolution. Je me souviens de m'être promenée sur la terrasse et à travers les jardins à l'italienne, m'imaginant ce même site au Moyen Age. En bas, le val s'appelle « le Val de Bénédiction » et une chartreuse y fut fondée au XIVe siècle. Hospitalité de ce lieu bien nommé où la terre est blonde et où, dans toute la largeur du ciel s'inscrit la douceur de vivre. De l'autre côté des deux bras du Rhône, Avignon quand vient le soir s'illumine aux feux du couchant...

Nous allons gravir la Montagnette au milieu des pins inclinés par le vent, des oliviers tordus et des noirs cyprès, avec le parfum de la lavande (bien cultivée de nos jours), du romarin et du thym dont le nom provençal « ferigoulo » a donné son nom au lieu : FRIGOLET.

Une source, la seule de toute la chaîne, jaillissait là. Elle avait le pouvoir de guérir de la fièvre et tous les anciens l'avaient adorée. En bas, c'était un vaste marécage couvert d'étangs et de lagunes. Les moines installés dans l'abbaye de Montjamour résolurent d'assainir ce coin de terre. Et il faut reconnaître que ce sont eux qui, en France, au Moyen Age, ont fait partout ce labeur car les fils de saint Benoît apprennent qu'en domptant leur corps par de durs travaux manuels, ils le soumettent à l'esprit. Ces vaillants défricheurs se mirent à l'œuvre, mais la malaria fut un terrible ennemi et les mains fiévreuses laissaient souvent tomber la pioche. Près de la source, au nord de ce marais, sur ces hauteurs arides mais saines, grâce au souffle des vents et à l'abondance des fleurs et des plantes aromatiques, ils bâtirent un monastère. Les nuits et les jours de repos leur redonnèrent, ainsi que l'eau de la source, la santé et ils purent livrer à la charrue une terre fertile. Christianisée, la source fut dédiée à la Vierge sous le nom de Notre-Dame-du-Bon-Remède et le monastère prit le nom de l'Archange, puisqu'il était placé sur les hauteurs.

Au XIXe siècle on eut l'idée baroque d'entourer l'abbaye d'une enceinte du Moyen Age, avec tours, courtines, créneaux et mâchicoulis... Il ne reste du XIe siècle que l'église Saint-Michel, dont la façade est moderne, et le cloître dont la simplicité ne

CASTRES : le clocher roman, seul reste de l'ancienne cathédrale.

TOULOUSE : le Saint Jacques de la porte Miége-ville, porte sud de Saint-Sernin.

TOULOUSE : une vue de la voûte dans l'église des Jacobins.

SAINT-BERTRAND-DE-COMMINGES
(Haute-Garonne) : chapiteau du clocher
montrant des chevaux harnachés.

MAGUELONNE (Bouches-du-Rhône) :
porte et tympan de l'ancienne cathédrale.

AGDE : la cathédrale,
au bord de l'Hérault.

VALCABRÈRE (Haute Garonne) : portail nord de l'église Saint-Just.

OLORON : au portail de l'église Sainte-Marie, encore le cavalier.

OLORON : les captifs du trumeau, église Sainte-Marie.

manque pas d'élégance. La chapelle de Notre-Dame-du-Bon-Remède forme l'abside latérale gauche de la grande église. Nous avions, lors de la deuxième route, parlé d'Anne d'Autriche qui s'était fait envoyer des reliques de saint Léonard pour avoir un fils. Comme cette Vierge était également priée pour obtenir la grâce de la maternité, la reine après la naissance de « Dieudonné » fit recouvrir la chapelle du XIe de boiseries dorées où sont encastrées treize toiles attribuées à Mignard. Les Prémontrés sont revenus et l'élixir du R.P. Gaucher se vend toujours. Pour moi, je m'efforce de faire tomber murailles d'opérette et créneaux de carton-pâte, la cloche sonne comme à l'Aubrac et l'écho de la Montagnette bleue et grise me renvoie son appel. Je vois les Jacquaires arriver en chantant, se précipiter pour boire l'eau pure de la source et y laver leur corps poussiéreux. Pourquoi donc, sous les nouvelles constructions a-t-on muré la source ? Lorsque l'eau de Cana fut changée en vin, c'était celle que l'on buvait quotidiennement. Si un jour un être, la bouche amère, les lèvres fiévreuses, se précipite vers Notre-Dame-du-Bon-Remède, elle ne pourra plus l'envoyer se guérir au flot béni !...

Nous retrouvons le Rhône à TARASCON. Le château du bon roi René a été élevé à l'emplacement d'un édifice romain. Il avait été commencé au XIIe siècle et continué par lui. Mais dans cette ville c'est sainte Marthe qui occupe le premier rang.

Elle avait débarqué avec les Saintes Maries, nous en reparlerons au lieu dit. En remontant le delta elle rencontra un monstre sorti du fleuve qui avalait chaque jour de nombreux jeunes gens. Celle qui travaillait au ménage à Béthanie passa sa ceinture autour du cou de la bête et la conduisit au peuple qui la tua à coups de pierres, si bien que la ville prit le nom de Tarascon. Les monstres fabuleux étaient chers aux croyances populaires, je n'y vois que la Vierge qui retire sa ceinture pour dompter le vice. Une tarasque gigantesque se promène chaque années à travers les rues de la ville, deux fois par an ; entre-temps, elle est exposée dans un local, mais chaque fois que j'ai voulu la voir, elle était en réparation... Heureusement, je connais le Monstre androphage de Noves qui est au musée d'Avignon et je crois qu'au point de vue vision artistique je n'ai rien à regretter.

Sainte Marthe eut son tombeau à Tarascon ; au-dessus

9

s'élève l'église qui porte son nom. Le portail sud pourrait riva-
liser avec celui d'Arles si la Révolution n'était pas passée par
là. Chère hôtesse de Jésus, même si vous ne reposez pas dans
la crypte, si vous n'avez pas rendu inoffensive la tarasque,
si elle n'a pas existé, vous apportez la note d'équilibre et de
bon sens dans cette Provence où le soleil élève tout à une
échelle démesurée ; et il me vient à l'esprit cette phrase de
Giono dans le « Chant du Monde » : « ... La femme de la
maison, moi, je l'appelle la mère de la route... » Remettons-
nous en route...

Nous allons remonter là où les Alpilles meurent en s'age-
nouillant au bord des eaux. C'est Ernaginum, en vue de Arles.
Gravissons quelques marches et nous sommes devant la très
belle façade de l'ÉGLISE SAINT-GABRIEL. Tout d'abord la décoration avec son motif d'oves, son fronton et ses colonnes corin-
thiennes encastrées évoquent l'antiquité. Le bas-relief du fronton représentant l'Annonciation et la Visitation est inspiré des
sarcophages paléo-chrétiens ; au tympan, nos premiers parents
avec le serpent, et Daniel dans la fosse aux lions. Ouvrons la
porte : à l'intérieur, un cippe funéraire de l'époque d'Auguste.
Retournons-nous. La pénombre où nous sommes rend encore
plus lumineuse la petite olivette où chantent les cigales. Saint
Gabriel nous accompagnera jusqu'en Arles.

Ceux qui venaient des Basses-Alpes et longeaient la Durance
faisaient la connaissance d'un type de construction en pierres
sèches composé d'une pièce unique sans cheminée ni fenêtre ;
c'est l'habitat du paysan lorsqu'il travaille loin de sa demeure.
La construction nous fait remonter à l'une des plus anciennes
architectures de l'humanité, celle des tombes de Mycènes ou
des premières églises à coupoles.

Non loin de cette « borie », sur une lèvre du plateau qui
domine cette rivière dont Pline disait qu'elle était « incons-
tante, sans lit, sans bornes et sans retenue », nous nous trouvons en présence, à travers les taillis et les chênes verts, de
l'ancien prieuré clunisien de GANAGOBIE qui était le plus important de la vallée. Saint Mayeul étant originaire de Valensole,
il était naturel que cette fondation non éloignée de sa ville
natale épousât la règle de Cluny.

Le portail festonné nous accueille ; au tympan, le Christ
avec les quatre symboles ; dans le linteau, les douze apôtres,

dont les pieds épousant le festonnage se placent à des hauteurs différentes. Nous nous croirions revenus en Limousin si ce n'était l'odeur du thym. La Révolution a supprimé l'abside de l'église. On la restaure et le magnifique pavement du sanctuaire fait de mosaïques représentant des animaux refera la joie des « amoureux » de l'esprit byzantin. Le beau cloître roman a succédé sans doute à une construction plus ancienne, une colonnette assez fruste le rappelle.

La tribune de l'église est dédiée à saint Honorat qui avait fondé un monastère dans une des îles de Lérins, devint par la suite évêque d'Arles, et dont nous avons vu l'église aux Aliscamps. Ses reliques fuyant les profanations de Raymond de Turenne furent transportées à Ganagobie quelque temps avant d'être ramenées à Lérins en 1391. Le prieuré en garde le pieux souvenir. Quelques moines vivent là et celui qui faisait visiter semblait avoir échappé à la loi du temps, il semblait sorti de la colonne du vieux cloître... à part les bottes... il est mort en 1968.

Au nord-est de Ganagobie, de l'autre côté de la Durance, existe un groupe de rochers appelé « LES PÈLERINS DES MÉES » dont le profil évoque une longue suite de Jacquaires qui se seraient figés là pour l'éternité ; ils sont si grands qu'il est impossible d'atteindre la hauteur de leur cœur pour savoir s'il bat encore dans la pierre...

Sur la deuxième route, en parlant de Vézelay, nous avons dit que le crâne de Marie-Madeleine était conservé à Saint-Maximin. Sur la fameuse barque, dont nous parlerons longuement un peu plus loin, étaient également avec Marie-Madeleine, Sidoine, Maximin et deux servantes : Marcelle et Suzanne. Maximin est considéré comme le premier évêque d'Aix, il y subit le martyre et fut enseveli à l'endroit où s'élève aujourd'hui la BASILIQUE A SAINT-MAXIMIN. Tous ceux cités plus haut furent aussi enterrés à cet endroit, mais, bien entendu, c'est le tombeau de Marie-Madeleine qui fut le plus vénéré. Lors des invasions sarrasines, la crypte fut comblée pour préserver les reliques. Au XIᵉ siècle, Vézelay affirme qu'un des moines de Saint-Maximin avait apporté les précieuses reliques. Nous avons vu que la version qui paraît la plus plausible serait que ces reliques viendraient des croisés.

Mais au-dessus de ces légendes la vérité est celle des sarcophages. Lorsque Charles d'Anjou, en 1279, fit déblayer la crypte qui était en réalité un caveau funéraire du vᵉ siècle, on y découvrit des sarcophages de la même époque et quatre plaques de marbre gris, gravées au trait, représentant Daniel, le sacrifice d'Abraham et deux orantes. Ce sont de très rares et très importants documents d'art chrétien que l'on peut situer entre le ivᵉ et le vᵉ siècle, et j'avoue que ces très émouvants vestiges du christianisme provençal à ses débuts, parmi les sarcophages de ces premiers chrétiens, sont beaucoup plus éloquents que des reliques... Au-dessus, une église gothique sans déambulatoire ni transept. Il reste également des bâtiments conventuels et un cloître du xvᵉ.

Un petit détour à l'est me semble indispensable. Non loin de Brignolles existe actuellement, en clos dans une propriété privée le petit oratoire de LA GAYOLLE dont la fondation remonte sûrement au iiiᵉ siècle. Il contient des chapiteaux intéressants ainsi que des tombeaux, mais l'un d'eux est privé de son côté décoratif qu'il faut aller admirer dans une salle du musée de BRIGNOLLES. Ce fragment de sarcophage antique est certainement le plus ancien de la Gaule, il remonte à la fin du iiᵉ siècle. Nous y voyons une tête d'Apollon solaire, le pêcheur, l'ancre, l'orante, le bon Pasteur avec ses brebis et le philosophe. C'est de l'iconographie encore païenne, mais qui annonce la religion. Les anciens propriétaires de la Gayolle avaient percé un trou au miileu de cette sculpture pour que l'eau passe à travers et abreuve les animaux. Quel grand propriétaire romain a eu la sa dernière demeure ? Il devait déjà voir dans le philosophe le Christ triomphant ! Devant ce carrefour où l'amour s'est fait « homme » pour remplacer la crainte, pourquoi les hommes sont-ils restés si cruels ?

Après ce détour, nous descendons à MARSEILLE où des pèlerins se sont rassemblés. D'après la tradition « la barque des saintes » avait amené Lazare le ressuscité, qui s'était installé dans des grottes de l'autre côté du port et face à la ville. Sans doute Lazare n'y est jamais venu, mais une petite communauté chrétienne s'est installée à cet endroit et une inscription chrétienne trouvée lors des travaux effectués en 1837 prouve que deux hommes, Volusianus et Fortunat, ont subi le martyre vraisemblablement à la fin du iᵉʳ siècle. Cette inscription est conservée au musée Borély. Un officier romain subit lui aussi le martyre à la fin du iiiᵉ siècle ; et au vᵉ en même temps à peu près que saint Honorat fondait l'abbaye de Lérins, saint Cassien fonda l'abbaye Saint-Victor qui prit le nom de l'officier romain martyrisé.

En face de cette abbaye dont les souterrains sont du Ve et qui garde malgré ses remaniements son aspect fortifié, existe l'ancienne cathédrale fondée sur l'emplacement du temple de l'Artémis phocéenne. La plus grande partie de la nef a été abattue lors de la construction de la nouvelle cathédrale. La croisée du transept est couverte d'une curieuse coupole octogonale sur trompes à grosses nervures carrées ; le passage du plan rectangulaire au plan octogonal s'est fait au moyen d'arcades en encorbellement comme à la cathédrale d'Avignon. Le cul de four de l'abside est monté sur des nervures analogues à celles de la coupole et porté par une colonnade arcaturée. Mais quittons la Major et l'une des plus belles productions de l'architcture romane provençale pour retrouver le point de départ à Arles.

Entre les Alpilles et la montagne du Lubéron, dominant Cavaillon d'une part et de l'autre la Durance, sur un plateau se dresse la CHAPELLE SAINT-JACQUES. Elle forme avec son ermitage parfumé d'iris un ensemble très séduisant. Toute la Provence est à nos pieds : le bleu lointain des monts, les gracieuses collines, la rivière en serpent, la terre qui se couche en longs plis et là-bas la mer latine, dont le golfe ressemble à une coupe...

La traversée d'Arles au faubourg de Trinquetaille s'effectuait par bateau. La colonne de marbre teinte de pourpre depuis que saint Genès y avait été lié et décapité n'existe plus, pas plus que l'église du même nom. Nos pèlerins ne reconnaîtraient plus rien, et même Van Gogh chercherait en vain son pont, car ce quartier a été entièrement bombardé pendant la dernière guerre.

Nous avons parlé de SAINT-GILLES sur la première route lorsque nous visitions le prieuré Saint-Gilles de Montoire. Athénien de noble famille, Gilles a commencé à vivre à Arles avec saint Césaire. Puis il décida de quitter le monde et devint ermite dans une grotte près d'une source. Une biche chaque jour venait lui offrir son lait et les heures coulaient heureuses. Un jour, Wambo, le roi des Wisigoths chassa par là et poursuivit la biche qui vint se jeter contre le saint, lequel fut blessé à sa place. Le roi voulant se faire pardonner offrit des trésors à l'ermite, qui ne lui demanda que de faire construire à cet endroit un monastère. Ceci se passait au VIIIᵉ siècle.

L'abbaye et le monastère relevaient de Cluny. Il reste la magnifique façade qui rappelle Saint-Trophime d'Arles, bien qu'ici il y ait trois portails au lieu d'un. Et puis, Arles c'était la tradition antique d'un art local poussé sur place, tandis que Saint-Gilles c'est la vie, presque l'exubérance. Des détails de soubassements montrent Caïn et Abel et leur sacrifice, un centaure chassant un cerf, des singes et un chameau. L'église était gothique, elle fut ruinée par les protestants au XVIᵉ siècle ; il en reste des substructions du chœur et le fameux escalier dit « vis de Saint-Gilles).

Je me souviens d'avoir visité la crypte de la cathédrale de Chur (Coire) dans les Grisons et d'avoir entendu vanter la large voûte surbaissée qui n'avait d'égale au monde que celle de Saint-Gilles du Gard. Chaque fois que j'admire la hardiesse de ces voûtes, j'évoque le pasasge du comte de Toulouse qui avait dû se soumettre durant cette terrible guerre des Albigeois et qui fut mis à nu et flagellé, dut entrer ainsi dans l'église, descendre dans la crypte et passer devant la sépulture de Pierre de Castelnau qu'il avait fait assassiner...

Entrons maintenant en pleine Camargue, passons devant les cabanes des gardians et dirigeons-nous vers la plage des SAINTES-MARIES.

Je vais vous conter la plus belle légende que je connais et c'est à sa lumière que la Provence prie. Fuyant les persécutions, montèrent dans une barque sans voile ni rames Lazare le ressuscité, Marthe, Marie-Madeleine, Marie-Salomé, mère de Jean et de Jacques le Majeur, Marie-Jacobé, Sara leur servante noire, Sidoine, Maximin et les deux servantes : Marcelle et Suzanne. Sara déroula son fourreau et le dressa dans le ciel : ce fut le mât, Marie-Madeleine dénoua sa longue chevelure : ce fut la voile. Les oiseaux de Palestine jetèrent dans les blonds cheveux toutes les graines du Moyen Orient. Quand la pécheresse débarqua elle secoua sa chevelure, les graines devinrent fleurs et c'est pourquoi la Provence est tellement odorante !

La barque s'arrêta au lieu dit « les Saintes-Maries-de-la-Mer ». A cet endroit existait, plusieurs millénaires avant notre ère, un port précurseur de celui de Marseille et qui se nommait « Ra ». Ce nom rappelle le passage des Egyptiens et leur plus grande divinité, Ammon Ra. Les navires d'Orient arrivaient là avec leur cargaison d'ambre et d'étain et des bouffées de leur religion. On y a ensuite vénéré Artémis, Isis et Cybèle et comme dans tous les lieux saints, s'y trouvait une source.

Revenons à la légende. Marie-Salomé, Marie-Jacobé et Sara étaient restées au lieu du débarquement, Marie-Madeleine serait montée à la Sainte-Baume (nous avons parlé d'elle à Saint-Maximin et à Vézelay), Marthe aurait dompté la tarasque à Tarascon, Maximin à Aix, Sidoine et les deux servantes à Saint-Maximin, Lazare à Marseille et à Autun. La vérité est qu'à l'emplacement d'un temple païen on a élevé un sanctuaire chrétien, et que l'église fortifiée actuelle date du XIIe siècle. En 1448, des fouilles, faites sur l'ordre du roi René, mirent à jour des ossements qu'on attribua avec enthousiasme aux saintes Maries. Des châsses furent faites, elles reposent à l'intérieur de la chapelle Saint-Michel, en haut de la tour. C'est là que Mireille« en marche... en marche... », frappée d'insolation à travers la Camargue, vint mourir.

Telles que sur la toile de Van Gogh les barques sont toujours là et celle qui porte pour nom « Saintes-Maries » attend le 25 mai de chaque année pour emmener les châsses que la foule plonge dans la mer afin de rappeler qu'un matin une embarcation a échoué là. Sara la noire est devenue la patronne des Gitans, qui tous les ans viennent au rendez-vous pour renouveler à leur patronne un amour démonstratif.

La façade actuelle est du XVe, l'église étant trop petite on à dû l'agrandir ; l'abside est surmontée d'une tour de guet du début du XIIIe siècle, flanquée d'une tourelle d'escalier. Elle a éte voûtée et surhaussée et porte un beau clocher-arcade du XVe. Des mâchicoulis entourent l'édifice ; les lions en marbre rapportés sur les murs latéraux proviennent vraisemblablement du porche qui devait précéder la façade.

J'ai assisté un 25 mai à la grande fête des saintes Maries ; il y pleuvait comme il y pleut presque chaque année et cependant la foule était immense. J'ai vu dans la crypte de l'église les gitans presser sur leur cœur la statue de Sara, j'ai entendu leurs cris, leurs supplications monter dans le sanctuaire noirci par la flamme des cierges et je me suis vraiment cru dans l'atmosphère des pèlerins de jadis. Pourquoi ne pas mettre plus en valeur la force et la sagesse de l'Eglise qui n'a rien supprimé, mais a tout christianisé ? Les Gaulois adoraient Pallas, la Mère-Dieu ; elle s'est appelée Marie. Le 25 mars, on fêtait la résurrection d'Attis le dieu phrygien, parèdre de Cybèle ; ce jour-là est devenu « l'annonce faite à Marie » avec le grand mystère de l'Incarnation. Le 2 février, c'était la fête de Cérès et de Proserpine ; elle est devenue celle de la Purification ; de même que le culte d'Artémis, Isis et Cybèle a été remplacé en ce lieu par celui des saintes Maries. Chère Marie-Salomé, mère de notre saint Jacques, que m'importe que la barque de la légende vous ait un jour déposée sur notre sol... Tant de bouches ont ici prononcé votre nom et le prononcent encore que vous êtes réellement présente et aussi vivante que lorsque, au bord du lac de Tibériade, vous regardiez vos fils qui allaient devenir les disciples du Maître...

AIGUES-MORTES est tout près ; c'est d'avion qu'il faudrait voir ce beau quadrilatère si bien quadrillé... Saint Louis en était le maître et le promoteur et c'est de là qu'il partit pour la croisade. Nous avons du mal à nous imaginer ce départ, maintenant que les remparts sont endormis au milieu des étangs, tout en ayant gardé leur physionomie médiévale. Les vingt tours construites au temps de Philippe le Hardi et de Philippe le Bel émergent toujours, blanches et nues, des déserts et des marécages. La tour de Constance remonte au règne de Louis IX, elle portait le nom de la fille de Louis VI qui avait épousé un comte de Toulouse, Raymond V de Saint-Gilles et qui possédait l'abbaye de Psalmodi et la baie des Eaux-Mortes. Elle rappelle le souvenir de cette prisonnière qui, enfermée après la révocation de l'édit de Nantes, est restée trente-deux ans dans cette geôle et a gravé sur la margelle du puits ce mot « Résistez ». Il faut savoir s'incliner devant le courage, quelles que soient les croyances et les opinions.

Dans l'enceinte des remparts la ville est moderne, mais ses toits sont jolis, avec leurs coiffes en tuiles se chauffant au soleil.

A regret, nous quittons la Provence, nous l'avons d'ailleurs déjà quittée à Saint-Gilles-du-Gard et il me revient la définition qu'en donne Giono : « Qui l'aime aime le monde ou n'aime rien. » Alors j'aime passionnément le monde.

Nous sommes en Languedoc. La montagne d'oc roule des pierres à feu où le silex s'entoure d'éclairs, ses chemins escaladent des falaises de glaise ardente avec des crinières de pins où s'inscrivent de rouges villages. A MONTPELLIER il y avait un hospice et un lieu de rassemblement. Nous allons prendre la route indiquée sur le guide et qui remonte vers le nord. Saint Martin va se rappeler à nous et les bornes de pierre seront marquées du fer à cheval. Ici c'est Saint-Martin-des-Marais, Saint-Martin-des-Eaux-Souveraines, SAINT-MARTIN-DE-LONDRES, village patiné par le soleil où les toits sont couverts de tuiles recuites, où les rues en s'enlaçant aboutissent sur la place enclose par un cloître. La cathédrale a un plan trêflé avec des coupoles byzantines ; elle semble trop petite pour contenir tous les pèlerins, beaucoup devaient se tenir dehors, rester sous le cloître, et saint Martin, quand venait le soir, étendait avant de le couper, sur toute la foule son grand manteau de charité.

Nous franchissons l'unique pont sur l'Hérault, il se nomme le pont du Diable et date du XIe siècle. En descendant les gorges de la rivière nous allons découvrir l'admirable paysage du « DÉSERT DE SAINT-GUILHEM ». Entre les falaises la route que côtoie l'Hérault, les roches sont noires et lisses comme des dalles taillées et polies, la végétation a disparu ; pas un seul arbre ; un buis rare s'accroche aux éboulis.

Il est temps de faire connaissance avec saint Guilhem. Il s'appelait Guillaume, Guillaume d'Orange, Guillaume Court Nez, il était comte de Toulouse et Porte-Etendard de Charlemagne. Il combattit les Maures, s'éprit d'une belle captive musulmane qu'il épousa, puis décida de tout quitter et prit le froc pour fonder dans ce désert un moustier, aidé par Benoît, comte de Maguelonne, qui lui aussi avait fondé une abbaye à Aniane. Dans ce val dit « le Bout du Monde », il avait enterré son épée ne pensant plus jamais s'en sorvir. Mais, nous dit la légende, Paris fut de nouveau assiégé par un Maure géant qui s'appelait Ysoré. Alors sans hésiter Guillaume déterra son épée, retira son habit et vint livrer combat sous les murs de Paris. Il tua le géant, pour lequel il fallut creuser une grande

tombe. Et c'est ce que rappelle la rue de la Tombe-Issoire à
Paris (Tombe-Ysoré). Il existe dans LA TOUR FERRANDE A
PERNES (Vaucluse) une peinture qui relate cet épisode ; le
chevalier se nomme Aurega (Orange), le Maure Jaians (Géant),
et la ville fortifiée porte le nom de Paris. Puis Guillaume
revint dans sa retraite, le devoir accompli, vécut dans l'ombre
et s'endormit dans la paix du Seigneur. Cette paix depuis a
été bien troublée par tous les pèlerins qui venaient s'incliner
devant ses reliques. Nous allons faire comme eux et gravir
lentement l'entonnoir qui enserre le Bout du Monde. C'est
d'abord l'abside de l'église qui apparaît avec ses deux absidioles décorées d'arcatures et de dents d'engrenage. La nef
centrale est haute, les deux latérales sont bien plus petites. Les
reliques de saint Guilhem ainsi que les restes de ses deux
sœurs Albane et Bertrane ont été profanés ; les fragments d'un
sarcophage ancien ont été dispersés et rajustés au siècle dernier. Si nous allons dans le cloître, créé au XIIe siècle, nous cons-
tatons qu'il est amputé et que la source n'a plus de fontaine. Il
faut aller à quelques kilomètres de New York, sur une colline
en bordure de l'Hudson, pour les retrouver... Ce musée des
« Cloisters » est fort bien installé et les Américains en sont très
fiers, car, comme tous les peuples qui n'ont pas de passé, ils
en souffrent et viennent s'abreuver à celui de la vieille Europe.
Si nous avons mal dans notre chair de ces membres coupés,
sachons pourtant reconnaître nos fautes : guerres de religion
plus terribles encore pour les monuments que la révolution qui
a suivi, car ces monuments restent les supports d'une méditation capable d'aider qui les contemple à rejoindre l'absolu.
Et puisqu'ils furent laïcisés, pourquoi s'étonner que des pierres de Saint-Guilhem-le-Désert soient encastrées dans des ponts
et des monuments de la région ! Les regrets sont superflus.
Nous payons pour ceux qui, nous l'espérons, « ne savaient pas
ce qu'ils faisaient », car supprimer la pensée médiévale de la
France, c'est anéantir son âme.

Je me suis promenée dans le cloître mutilé, j'ai regardé l'eau
couler, la pierre lui manquait pour murmurer. À côté, au
milieu d'une végétation envahissante s'épanouissaient des
églantines ; ces mêmes fleurs poussent au pied de la fontaine
au delà de l'océan. Il m'a semblé à cause de ces fleurs et en
souvenir des fervents de jadis qui ont patiné la pierre autant

que le soleil, que saint Guilhem dans son « Désert » a pardonné...

Nous traversons les Cévennes. Encore le souvenir de la révocation de l'édit de Nantes avec les Camisards. Et nous voici à CASTRES. De l'ancienne cathédrale il reste le seul clocher roman, près de l'évêché construit par J. Hardouin-Mansart et du jardin dessiné par Le Nôtre. Les pèlerins ne pouvaient se douter que les touristes aujourd'hui admireraient au musée les 80 « Caprices » du grand peintre espagnol Goya qui, malade et sourd, finit ses jours en France. « Hasta la muerte » est le titre que donna Goya au Caprice 55...

... Sur la brique pâlie et tiède des vieux murs
Il semble, ce jour-là, qu'il ait neigé des roses !...

Le temps a fait son œuvre, la couleur du sang que TOULOUSE a versé, qui imprégna son sol, qui rougit ses briques est devenue celle de la fleur qui s'empourpre au printemps et qui ici exhale un parfum de violette... Toulouse de la reine Pédauque (Pédauquo), la reine aux pieds d'oie comme dit la légende, vit venir à elle Saturnin prêchant le Messie rédempteur. Saturnin, ne voulant pas sacrifier au Jupiter des Romains, fut attaché à la queue d'un taureau en l'honneur, sans doute, de Mithra. Et l'animal, furieux, traînant son fardeau sanglant, dévala à travers la cité et parvint à la porte des remparts de l'ouest où la corde se rompit. Le sang du martyr rougit la place du Capitole et son corps fut enseveli à l'emplacement de l'église du Taur.

Une moisson fécondée par du sang grandit toujours. Au XIe siècle les Toulousains décidèrent d'élever à saint Saturnin, que par contraction le peuple appela Sernin, une église digne de lui ; c'est cette basilique fantastique, l'une des plus vastes de la chrétienté romane.

Son clocher est une lanterne octogonale de 65 mètres de haut, romane à la base, gothique au sommet. Il faut avoir le courage de monter jusqu'en haut pour voir se dessiner la croix que le Christ a portée avant d'y être crucifié.

L'abbatiale de Saint-Sernin tout entière construite en brique rouge et en pierre blanche, a une étroite parenté avec

Saint-Jacques-de-Compostelle, bien que pour imiter la maison-mère de Cluny, elle ait cinq nefs au lieu de trois. Transept vaste où s'inscrivent deux chapelles de chaque côté, déambulatoire permettant à la foule de circuler librement et de se pencher pour apercevoir les châsses des « corps saints » sous le chœur de l'église, tribune qui ressemble à un cloître aérien, et table du maître-autel datée de 1096 et signée de Bernard Gilduin.

La porte sud, dite porte Miègeville, nous montre à son tympan une Ascension du Christ qui doit être de la fin du XIe-début XIIe, les plis transversaux, les galons au bord des vêtements sont des traits caractéristiques du style languedocien. A gauche de ce portail, au-dessus de femmes chevauchant des lions, saint Jacques prêchant entre deux troncs d'arbre accueille les pèlerins. Ce même saint Jacques, nous allons le retrouver dans la même attitude au portail des Orfèvres à Santiago, et je pense que cette route tracée entre l'alpha et l'omega avait bien un sens et que celui qui arrivait au terme de son voyage en contemplant la sculpture pouvait dire « on ne m'a pas trompé ».

Toulouse possède de nombreuses églises et couvents ; c'est aux Jacobins que nous irons. Commencée au XIIIe et consacrée au XIVe, cette église des Dominicains possède le plus beau des clochers gothiques toulousains. Le « Roman » est un repliement propre à la méditation intérieure, le « Gothique » c'est le déploiement de l'âme qui s'exalte dans la contemplation. Jamais je ne l'ai mieux senti que dans cette église à deux nefs, sans arcs-boutants extérieurs ; pas de colonnettes, mais des fûts monocylindriques en ligne, dans l'axe de l'édifice, sur lesquels retombent les voûtes. Je suis restée très longtemps au pied de la colonne qui se trouve au centre du chœur, mon regard montait le long de ce fût lisse de 22 mètres que rien ne venait altérer et qui s'épanouissait comme le plus beau palmier du monde avec ses 22 arcs.

Il reste un cloître, une salle capitulaire et une chapelle Saint-Antonin avec des fresques d'un admirable dessin, mais dégradées. Avant de quitter cet ancien couvent il faut se souvenir pourquoi il a été construit. Au sud de la ville dans la plaine de Muret, le 13 septembre 1213 tombait le beau roi Pierre d'Aragon ainsi que le dit la chanson :

Mot fo grans lo damnagtes e l dols e l perdemens.
Cant lo reis d'Arago remas mort e sagnens,
E mot d'autres baros don fo gran l'aunimens
A tot crestianesme e a trastotas gens

« Grands furent le dommage, le deuil et la perte, quand le
roi d'Aragon resta sur le champ de bataille, mort et sanglant,
ainsi que bien d'autres barons. Ce fut grande honte pour toute
la chrétienté et pour le monde entier. » Simon de Montfort et
ses hommes étaient donc les maîtres et ils décidèrent d'as-
siéger Toulouse. Mais une femme dont le nom reste inconnu,
comme le fit David avec le géant Goliath, « lança la pierre qui
frappa juste où il fallait ». La mort de Simon de Montfort,
en 1218, provoqua le désarroi parmi les assiégeants. Contre
les Cathares, ces trop « parfaits » qui ne voulaient pas se
perpétuer, c'est saint Dominique qui fut envoyé, et l'on comprend la construction des Jacobins au lendemain de la croisade
contre les Albigeois ; les Dominicains (ou Jacobins) voulaient
en faire la citadelle de leur triomphe.

Toulouse possède encore une centaine de vieux hôtels qui
rêvent au fond des cours éteintes. Les chevaliers de Saint-
Jean-de-Jérusalem avaient le leur et nous ne pouvons pas
quitter la ville de la « Violette d'or », des troubadours, sans
saluer le très beau saint Jacques de la chapelle de Rieux. Cette
dernière ayant disparu, il se trouve actuellement au musée
des Augustins qui est un ancien couvent.

Laissons Toulouse, la capitale de l'Occitanie, pour revenir
à Montpellier d'où partait une seconde route. C'est celle-là que
nous allons désormais suivre. Non loin de Palavas-les-Flots,
une étroite bande de terre entre un étang et la mer va nous
conduire au siège d'un ancien évêché : MAGUELONE.

L'église est de belles proportions avec d'étroites ouvertures.
Comme au palais des Papes à Avignon, l'édifice était entouré
de grands arcs brisés supportant des mâchicoulis et s'appuyant
sur des contreforts. On a refait un de ces arcs au-dessus du
portail de la façade qui a, sur sa partie nord, un bâtiment
appelé évêché qui devait sorvir de tour. Dans le tympan du
portail un Christ entouré du Tétramorphe. Il m'est difficile

d'expliquer pourquoi, alors que cette représentation a été tant de fois vue sur nos routes, ce n'est vraiment qu'en celle-ci que se définit nettement la fonction de chaque évangéliste. Mathieu est un Juif qui commence son évangile en parlant de l'humanité : il sera représenté comme un homme. Jean est un Juif qui dès le premier écrit s'élève toujours plus haut vers la Divinité : il deviendra l'aigle. Marc est un Juif disciple de saint Pierre, qui rappelle les paroles du prophète semblables au rugissement du roi du désert : il sera un lion. Luc est un médecin grec, ami de saint Paul, qui commence son récit en parlant du prêtre Zacharie, prêtre et sacrificateur des victimes : il sera le bœuf. Et de chaque côté des pieds-droits, saint Pierre, tel un gardien de portes, brandit deux énormes clés tandis que saint Paul garde en sa main droite le glaive par lequel, en sa qualité de citoyen romain, il eut la tête tranchée et qui lui a épargné la crucifixion. Ces personnages figés dans le marbre, très à l'antique, lourds et expressifs, qui se mêlent à un élément décoratif d'élégantes rosaces, s'imposent par leur présence. Une date s'inscrit dans la pierre : 1178. Cette église, élevée au rang de cathédrale, s'érigeait au milieu de 16 000 âmes. Elle a résisté à Richelieu qui fit tout raser et n'a laissé qu'elle. Les pins, les eucalyptus, la lagune remplacent murailles, habitations, cloître, bâtiments épiscopaux. Ce site solitaire est propre à une longue méditation sur les biens terrestres... qui m'a toujours été impossible à cause de certains habitants que le cardinal n'a pas pu supprimer : les moustiques...

L'étroite bande de terre nous amènera à AGDE, qui fut colonie phocéenne, Agathé Tyché, puis Agatha des Romains, et évêché. La cathédrale, en forme de T, est construite en pierre de lave noire provenant de l'ancien volcan de Saint-Loup. C'était une forteresse, et nous retrouvons comme à Maguelone les arcs en plein cintre s'appuyant sur des pilastres et indépendants du mur du fond, et formant mâchicoulis ; l'une des tours, surélevée postérieurement, a l'air d'un véritable donjon ; un reste de cloître sur le flanc sud fut aménagé en chapelle.

BÉZIERS nous ramène à l'intérieur des terres. Au-dessus de l'Orb, près du vieux pont romain, s'élève l'acropole sur lequel fut construit le vieux Béziers. La cathédrale, si importante sur

son promontoire, n'est pas celle que les pèlerins d'avant 1209
contemplaient. La première fut une torche vivante le jour où
Simon de Montfort alluma le brasier de pierre et de chair, où
sept mille personnes périrent. Lorsque, durant la dernière
guerre, nous avons crié d'indignation devant le massacre
d'Oradour-sur-Glane, il fallait également se souvenir de cet
incendie gigantesque allumé dans un dessein soi-disant loua-
ble... Pourquoi faut-il que les idées poltiques et religieuses
aient produit tant de cruauté ? Le monde n'a-t-il donc pas
évolué depuis Caïn et Abel ?

Il reste la crypte du xᵉ siècle. L'édifice, rebâti vingt ans plus
tard sur des restes romans, est de style gothique, massif et
puissant. Près de lui, comme devaient le faire les Jacquaires
nous admirons le décor. Mais nous ne quitterons pas Béziers
sans venir contempler l'abside polygonale de l'église Saint-
Jacques qui fut l'abbatiale d'un monastère destiné à recevoir
les pèlerins.

Outre le musée et les fouilles Enserune mérite l'ascension,
car le paysage vu du sommet de la colline rappelle le temps où
la mer formait là un grand étang : les cultures qui le remplacent marquent le dessin d'une grande étoile, peut-être
tombée du chemin aérien de Saint-Jacques.

Ensérune, ce sont ces cabanes en pisé, une poterie grossière,
une cité en damier et des objets en fer, des maisons romaines
et des vases importés du monde hellénistique ; un oppidum
pré-romain nous a livré ses civilisations, ses trésors, ses morts
et son rêve grec au rivage occitan.

Narbonne a été la capitale politique, intellectuelle et écono-
mique de la Gaule méridionale. Nous y voyons un cimetière
paléo-chrétien établi dans les substructions d'une cella près de
l'église Saint-Paul-Serge. Dans cette dernière une « grenouille »
s'est pétrifiée dans le bénitier. Après les invasions, la renaissance viendra avec la dynastie vicomtale des Aymerides et les
Archevêques métropolitains. A l'esprit revient ce héros de la
chanson de geste et d'une petite épopée de V. Hugo : Aymeri
de Narbonne « *Et le lendemain... Aymeri prit la ville.* »

Du vieux pont des marchands qu'empruntaient les pèlerins
et qui a gardé son allure du Moyen Age avec sa rue commer-
çante bordée de maisons (bien qu'elles ne soient pas d'époque),

nous irons voir la cathédrale Saint-Just qui ne possède qu'un très beau chœur du xiv⁰ siècle.

Si l'on passait par Narbonne, c'est à l'ABBAYE DE FONTFROIDE que l'on s'arrêtait. Elle fut fondée par Aymeri Iᵉʳ, vicomte de Narbonne, dans un vallon sauvage, près d'un petit ruisseau. Elle se rattache à Citeaux en 1146, mais, je crois, ne fut cistercienne que de nom car sa réputation n'était pas celle de la simplicité. Tout était beau et somptueux en elle : église, cloître et bâtiments conventuels. Après un abandon, la plus grande partie de ses ouvrages furent rebâtis aux xviiᵉ et xviiiᵉ siècles : puis, de nouveau abandonnée, elle devint la propriété de M. Fayet à qui l'on doit la restauration de Fontfroide et l'aménagement de ses jardins qui, contrairement à son nom, laissent émaner de cet ensemble, dans ce site perdu, un rayonnement de chaleur artistique.

Tout se groupe autour du cloître et l'on sent que ce travail médiéval ressemble à celui qui a créé les abbayes provençales du Thoronet, de Silvacane ou de Sénanque. Le cloître primitif devait être en bois ; les galeries de celui-ci sont du xiiiᵉ siècle, l'ensemble est vaste et majestueux. La salle capitulaire, pleine d'élégance, est entourée de bancs de pierre ; les oculi et les roses font à terre des cercles de lumière. Près du portail d'entrée (du xviiiᵉ siècle), il y a une cour bordée d'un côté par des jardins en terrasse et de l'autre par les bâtiments des hôtes. C'est là que se groupaient ceux qui passaient par ce relais de Compostelle. Quittons ce grès jaune et rose, ces roches, ces buis, ces cyprès et ces pins. Si vous êtes passé par là, cher François d'Assise, n'avez-vous pas reconnu l'Ombrie ?

De loin nous apercevons CARCASSONNE et ses murailles, ses tours et ses créneaux, mais au Moyen Age cette cité a subi tant de vicissitudes que peu de pèlerins montaient jusqu'à son enceinte. Cité romaine sur le trajet de Narbonne à Bordeaux par Toulouse ; Théodoric, roi des Wisigoths, s'en empare et l'entoure d'une enceinte de murailles qui épouse la configuration du plateau. Prise par les Sarrazins, elle fut reprise par Charlemagne. Et ici se place la légende de Dame Carcas qui soutint seule le siège avec des figurants de paille et jeta pardessus les murailles le dernier pourceau qui restait. Des comtes héréditaires gouvernèrent ensuite la cité. Comme les comtes

EUNATE (Espagne) : la chapelle funéraire
sur la route de Puente la Reina.

BURGOS (la cathédrale) : le Matamore
caracolant au-dessus de la grille.

Le Christ en jacquaire, suivi
des deux pèlerins d'Emmaüs.

Le chapiteau des guerriers,
dans le cloître.

FROMISTA : l'église
San Martino.

LÉON : peinture dans l'église San Isidro : l'Annonce aux bergers.

NARANCO : l'église
Santa Maria.

CARRION DE LOS CONDES :
le tribut payé au roi Maure.

NARANCO : détail
de sculpture à San
Miguel de Linio.

de Toulouse, ils soutenaient les Albigeois. Aussi Simon de Montfort, avec 60 000 hommes, vint-il mettre le siège devant Carcassonne qui résista quatorze jours, puis capitula. Son chef, le vicomte Roger Trencavel, au mépris de la capitulation, fut enfermé dans une tour et assassiné par le fer ou le poison. « Tuez-les tous ! Dieu reconnaîtra les siens ! » ; cette phrase fameuse n'a peut-être pas été prononcée, mais elle pourrait de nos jours servir aux meneurs des guerres idéologiques ou prétendues telles pour qui la valeur humaine ne compte pas.

Carcassonne revint à la couronne après une tentative de reprise par le fils de Trencavel. Saint Louis fit bâtir l'enceinte extérieure en avant des anciens murs ; puis, voulant punir les habitants de leur rébellion, il leur défendit de reconstruire leurs maisons à l'intérieur de la cité et leur permit de fonder une ville basse au-delà de l'Aude. Philippe le Hardi modifia l'enceinte intérieure dont il augmenta le nombre des tours. Elle fut démantelée à la Révolution. Napoléon III, qui mêlait au goût du médiéval beaucoup de romanesque, confia la restauration à Viollet-le-Duc qui y ajouta en plus ses fantaisies personnelles.

De loin, au soleil couchant, la vision est très belle. La cité au sommet de son plateau, défendue au sud, à l'est et au nord-est par un large fossé, à l'ouest et au nord-ouest par les pentes abruptes de la colline, avec ses deux enceintes séparées par les lices, ses dix-neuf tours en pierre de grand appareil à bossage, ses deux portes principales, reste un ouvrage d'architecture militaire montrant l'art des fortifications du Moyen Age poussé à un haut degré de perfectionnement.

La cathédrale Saint-Nazaire, à l'intérieur de la cité, adhérait primitivement à l'ancienne enceinte par sa façade occidentale. Aussi le grand portail s'ouvre-t-il au nord. Viollet-le-Duc a composé dans une architecture toute militaire une nouvelle façade occidentale. La nef est romane, le chœur et le transept sont gothiques avec de grandes verrières ornées de très beaux vitraux des XVIe et XVIIe siècles déversant la lumière du ciel.

Il me semble impossible, étant à Carcassonne, de ne pas descendre jusqu'à ALET qui fut au IXe siècle le siège d'une abbaye et qui, au XIVe, fut érigée en évêché. Malheureusement, les protestants sont passés par là et les ruines superbes de cette ancienne cathédrale, encore si vivantes avec leur teinte dorée, nous font doublement regretter cet édifice construit dans le style du roman provençal.

L'abside a gardé sa voûte et son chevet polygonal à cinq pans dont la décoration extérieure ressemble à celle de l'église Saint-Jacques de Béziers, avec la même corniche antique, inspirée des monuments romains. A l'intérieur, cinq niches et un arc triomphal reposant sur de magnifiques chapiteaux corinthiens. La nef possédait de hautes tribunes. Une des tours élève au-dessus des murs trois bouches qui ne se fermeront plus et les animaux fantastiques incrustés sur les contreforts restent seuls à admirer l'encadrement des fenêtres.

Toute la cité a conservé son aspect vieillot et certaines maisons racontent encore leur histoire.

Avant de reprendre la route il faut savoir que des pèlerins venant de la région de Perpignan, au lieu de se diriger directement sur Narbonne, avaient fait un détour par une abbaye située non loin de Prades : SAINT-MICHEL-DE-CUXA.

Au IX⁰ siècle des moines, fuyant les inondations catastrophiques de la Têt, se réfugièrent à Cuxa où une église dédiée à saint Germain d'Auxerre existait déjà. Au X⁰ siècle ils construisirent une église dédiée à saint Michel qui, beaucoup plus belle que la précédente, finit par être le vocable du nouveau monastère. La nef préromane communique avec les bas-côtés par le moyen d'arcades dont certaines ont des arcs outrepassés. Cette construction a posé des problèmes difficiles à résoudre. Au X⁰ siècle, époque du brillant Califat de Cordoue, aucune émigration mozarabe aux Marches d'Espagne n'est enregistrée. Alors il reste la possibilité d'un artiste musulman ou mozarabe vivant à Cuxa, ou celle de la tradition wisigothe qui employait déjà l'arc outrepassé et que les Arabes auraient copié. La nef avait une charpente apparente avec des arcs diaphragmes que le service des Monuments Historiques a restaurée. A l'ouest, des travaux d'agrandissement avaient été entrepris au XI⁰ siècle ; au niveau le plus bas un cercle inscrit dans un carré avec un pilier massif central et des murs dépourvus d'enduits, telle se présente l'église de la Vierge de la Crèche. Cette église est encadrée au Nord et au Sud de deux galeries voûtées qui devaient être des sanctuaires dédiés aux archanges Raphaël et Gabriel.

Car, dans cette chapelle, on venait vénérer des reliques de
la crèche (il y en avait également à Sainte-Marie-Majeure à
Rome) et des langes de l'Enfant Jésus. Je me demande par
quel prodige ces objets avaient été si bien conservés et amenés
jusque-là... Ce qui est certain, c'est que les pèlerins formaient
d'immenses processions et que ce pilier central a vu circuler
autour de lui ces fidèles qui allaient ensuite près de Gabriel
pour lui demander sa force, de Raphaël pour être guéris, après
quoi, ils montaient dans l'oratoire de la Trinité et se rendaient
vers saint Michel pour se rapprocher de Dieu.

Le cloître de Cuxa représentait le plus important ensemble
de sculpture romane du Roussillon. Au XIXᵉ siècle un propriétaire vendit colonnes, marbre et chapiteaux, comme on se
débarrasse d'un vieux matériel gênant. En 1878, il restait neuf
arcades. C'est encore au musée des « Cloisters » qu'il faut aller
y voir la reconstitution la plus fidèle, quoique de dimensions
moins vastes. Cet ensemble conserve les chapiteaux, 19 abaques
et 12 fûts d'origine ; les parties manquantes ont été remplacées
par des copies en marbre rose et gris-blanc. Le promenoir est
pavé de dalles rouges copiées sur des fragments retrouvés dans
les décombres. La fontaine centrale ne vient pas de Cuxa, mais
de Saint-Genis-des-Fontaines, car la vasque du cloître est en
France dans une propiété privée à Eze (Alpes-Maritimes).

Revenons à Cuxa. Depuis quelques années on s'est efforcé
de regrouper tous les éléments récupérables du cloître qui
n'avaient pas traversé l'océan et, à l'aide de marbre, on a refait
une heureuse présentation que nous ne pouvons pas appeler
une véritable reconstitution. Les chapiteaux étaient taillés dans
des cubes de marbre rosé ; certaines corbeilles ont un décor
végétal, d'autres représentent des aigles ou des lions. Mais les
plus curieux mettent en présence un personnage lourd aux
yeux bridés, aux pommettes et au menton saillants ; il a le torse
nu, un ventre replet, et n'engagerait pas la lutte avec des
animaux fantastiques comme « Gilgamesh » ; nous le pren-
drions volontiers pour un « bouddha ». Ce personnage très
oriental à la mine réjouie n'a sans doute que sa signification
ornementale. On a habilement remonté contre le mur nord-
ouest une grande arcade sculptée représentant le lion de saint
Marc au-dessus d'un séraphin qui s'appuie sur un singe, et
de l'autre côté le taureau de saint Luc également sur un séra-

phin avec, comme console, une tête de lion ; l'aigle et l'ange ont disparu.

Les sculptures des deux grands cloîtres de Saint-Michel-de-Cuxa et Saint-Guilhem-du-Désert vont peut-être rentrer en France après soixante ans d'exil. En échange, la France fournirait au musée des « Cloisters » des répliques exactes taillées dans le marbre.

Au pied du massif du Canigou se profile le seul clocher de quarante mètres qui subsiste. Il s'élève au-dessus des tuiles rouges. A l'intérieur, tout ce qui existait — et qui a repris une place qui n'était peut-être pas la sienne — s'efforce à l'harmonie. La nef se rappelle la tribune qui était peut-être aussi belle que celle de Serrabone, et le marbre rose du cloître voudrait savoir si le soleil que reçoit son frère au bord de l'Hudson est aussi brillant que le sien ?...

> *Cascades qui tombez des neiges entraînées*
> *Sources, gaves, ruisseaux, torrents des Pyrénées,*
> *Monts gelés et fleuris, trône des deux saisons,*
> *Dont le front est de glace et le pied de gazon...* (1)

ce sont ces vers appris lorsque nous étions petits qui vont rythmer notre marche à travers tout ce qu'ils contiennent. Après Foix et Saint-Girons il faut remonter à SAINT-LIZIER. C'est l'ancienne capitale du Couserans qui embrassait le bassin du Salat. Elle fut conquise par Pompée. Ville romaine, elle eut son enceinte ovale en haut de la colline. Devenue chrétienne, elle eut son évêché établi par saint Vallier au ve siècle, et par la suite sa cathédrale Notre-Dame-du-Siège. Au viie siècle un évêque d'origine portugaise, nommé Lizier, soutint le moral des habitants de la ville au moment de la conquête wisigothe. Après sa mort, on éleva au-dessus de son tombeau un petit oratoire. Cet oratoire devint par la suite une cathédrale qui fut consacrée en 1117. La ville changea de nom, prit celui de Saint-Lizier et eut deux cathédrales.

L'abside de cette dernière église est polygonale dans sa partie inférieure, demi-circulaire au-dessus ; elle a été construite avec

---

(1) A. de Vigny.

des matériaux pris dans les ruines romaines. Les absidioles ne sont que les tours d'une ancienne porte romaine et les courtines qui s'y rattachent ont constitué le mur oriental du transept. L'église, très désaxée, est fort irrégulière. Elle a été rebâtie en partie au xive siècle ; le clocher octogonal, de pur style toulousain, a un couronnement crénelé moderne. Mais la partie la plus attachante et la plus mal connue, c'est le cloître roman de la fin du xiie siècle ; il possède 32 arcades en plein cintre reposant alternativement sur des colonnes simples ou jumelées, en marbre. Leurs très beaux chapiteaux représentent des entrelacs, des motifs de vannerie, des masques, des animaux ou même des sujets historiés, comme Daniel dans la fosse aux lions. La galerie n'est pas voûtée mais couverte d'un plafond en bois que surmonte une autre galerie en charpente (du xve siècle) recouverte d'un simple toit en tuiles rondes. En repassant par l'église, arrêtons-nous à l'absidiole nord, nous y verrons comme dans un vitrail de Chartres, sur une fresque du xive qui s'efface, une Vierge allaitant son Enfant.

Notre chemin se dirige vers SAINT-GAUDENS qui rappelle le souvenir d'un jeune adolescent martyrisé lors des persécutions des Wisigoths. La collégiale commencée au xie était sur le modèle de Saint-Sernin de Toulouse ; elle n'a pas de transept ; malgré les dégâts du xvie siècle, elle a gardé son beau clocher roman et des chapiteaux historiés ou dérivés du corinthien. Dans un jardin public on a reconstitué une partie du cloître de l'ABBAYE DE BONNEFONT. A cinq kilomètres à l'ouest de Saint-Martory existait une importante abbaye cistercienne qui recevait de nombreux pèlerins. Elle a subi le sort de cette région. Son cloître du xiiie siècle possédait 64 élégantes arcades avec des chapiteaux décorés de feuillages ; une partie est à Saint-Gaudens, une autre décore l'ancienne gendarmerie de Saint-Martory et l'église moderne a hérité une porte ; le restant est au musée des cloîtres à New York.

Ma nomenclature ne serait pas complète si j'omettais l'abbaye de TRIE-SUR-BAISE, entre Saint-Gaudens et Tarbes. Plus jeune que les autres, elle était du xve. Elle fut ruinée par les Huguenots et son cloître est aussi à New York. Au milieu, une fontaine et une crucifixion avec des scènes comme celle du

« Noli me tangere ». Il faudrait vraiment, pour que cette quatrième route fût complète, la finir dans ce musée des cloîtres dont nous avons tellement parlé. Nous y trouverions encore d'autres trésors et le regret amer de cette dispersion. Un musée est un lieu mort ; il peut convenir pour des expositions de toiles mais non pour des statues ni des sculptures qui doivent vivre là où elles ont été créées. On devient vieux et démodé le jour où plus personne de notre âge ne peut être témoin, se rappeler avec nous... Je crois que, pour l'architecture, il en est de même ; privée de ses éléments, elle vieillit et la France perd ainsi une source de richesse touristique.

Au sud-ouest de Saint-Gaudens une colline va se dresser devant nous ; c'est Lugdunum Convenarum, le pays de COMMINGES dans lequel nous nous trouvons depuis Foix. Cette colline du Soleil Levant aurait vu passer Hérode Antipas et sa femme Hérodiade exilés par Caligula en 37 après J.-C. Cette ville romaine s'agrandit au pied de la colline et, lorsque les invasions déferlèrent, la ville du haut protégée par ses remparts résista, mais à partir du VIe siècle demeura déserte jusqu'au jour où l'évêque Bertrand de l'Isle-Jourdain, au XIIe siècle, établit les fondements d'une cathédrale romane dans laquelle, canonisé, il repose.

C'était un relais très important sur la route de Saint-Jacques, un des derniers avant l'Espagne toute proche. Aujourd'hui ce n'est plus qu'une modeste bourgade que nous allons réveiller. Elle a gardé une partie de ses murailles et deux portes : Porte Cabirole et Porte Majou. De vieilles maisons des XVe et XVIe siècles montent la garde le long de la rue ; l'une d'elles, la maison Bridault, offre au-dessus du portail une bride sculptée à demi-effacée, armoirie parlante du propriétaire ; c'est aujourd'hui la Poste. La cathédrale Notre-Dame se compose de deux parties très inégales. La façade, avec son clocher-porche surmonté de hourds de bois, a un tympan représentant les douze Apôtres et l'Adoration des Mages. Après le vestibule et deux travées qui sont encore romanes, nous nous trouvons dans un vaste vaisseau gothique, et c'est un peu comme une symphonie qui aurait commencé par un timide allégro pour se terminer en allégro vif. Dans ce gothique la Renaissance apporta son œuvre et les soixante-dix stalles nous permettent d'admirer la tentation de nos premiers parents, le moine fustigé ou des miséricordes ornées d'animaux pleins de fantaisie. Ce travail a été exécuté sous l'évêque Jean de Mauléon en 1535. Après nous être inclinés devant le mausolée de saint Bertrand, allons respirer l'air pur des montagnes dans le cloître qui se situe entre le ciel et la terre. Il est roman, à part une galerie du XVe qui a été refaite et qui contient des sarcophages anciens. La galerie ouest est la plus remarquable avec ses quatre Evangélistes appuyés à un pilier, et un chapiteau unique représentant des chevaux harnachés. Que de Jacquaires ont dû rêver devant ce chapiteau, eux qui marchaient à pied ! Quelques privilégiés seulement de la première route pouvaient obtenir un cheval ou un âne à la Sauve-Majeure (près de Bordeaux).

Un dernier regard sur ces montagnes qu'il va falloir bientôt franchir et nous redescendons, car il nous reste encore deux pèlerinages à faire. Le premier, sur la route de VALCABRÈRE, sera pour les restes d'une basilique chrétienne constantinienne qui passe pour la plus ancienne connue de la Gaule. On y voit le dessin du narthex et de la nef et celui de l'abside qui a la forme d'un pentagone. Là on a trouvé le sarcophage d'une jeune fille avec cette inscription : « Da, Christe, famulæ tuæ Emilianæ requiem et vitam æternam. » C'est simple et émouvant...

Dans un cimetière planté d'ifs une porte romane nous fait pénétrer dans l'enclos de la cathédrale primitive du Comminges. L'ÉGLISE SAINT-JUST remonte à la fin du XIe siècle ; elle a un plan bénédictin ; le chevet restauré offre extérieurement cinq réduits percés de fenêtres. Le long des murs, des remplois romains. Le portail nord est orné de quatre statues représentant sainte Hélène, saint Etienne, saint Just et saint Pasteur. Ces deux derniers auraient été martyrisés au IVe siècle en Espagne à l'âge de 8 et 13 ans. Au-dessus dans le tympan, le Christ entouré des quatre Evangélistes qui, comme au pilier du Cloître de Saint-Bertrand et à Saint-Aventin (nous en avons déjà parlé au sujet de la grille du cœur) tiennent dans leurs mains leurs propres symboles. Ces sculptures, en marbre, ont encore gardé un peu de polychromie ; elles dégagent la noblesse et la grandeur de l'antique auquel s'est jointe la foi du Moyen Age. A l'intérieur, derrière l'autel, surélevé sur une voûte, un beau tombeau abrite un sarcophage auquel on accède de chaque côté par un escalier de pierre. Au Moyen Age cette disposition était fréquente, et pour retrouver la trace de nos pères il faut refaire les mêmes pas.

Les montagnes vertes et sombres nous conduiront à TARBES, à PAU et nous franchirons le Gave d'Oloron pour aller voir une fondation hospitalière créée pour les pèlerins et qui a nom HÔPITAL SAINT-BLAISE. C'est une église en forme de croix grecque dont la façade montre un tympan représentant le Christ entouré du Tétramorphe ; une abside à trois pans, et au-dessus de la croisée du transept s'élève une petite tour octogonale coiffée d'un toit moderne. Mais l'intérêt de cet édifice réside dans ses petites fenêtres garnies de matériaux ajourés à décor géométrique qui évoque l'art arabe, et dans sa coupole dite « nervée », formée de huit branches dont les seize arcs retombent deux par deux sur des consoles de pierre et s'entrecroisent pour former une magnifique étoile. A l'intérieur, les fenêtres de l'abside sont surmontées d'arcs poly-lobés et l'on sent très nettement dans cet édifice du XIII° siècle le travail mudéjar, en regrettant la disparition des bâtiments qui devaient entourer l'église.

Le Gave, avant de devenir Gave d'Oloron, était divisé en deux bras : Gave d'Ossau et Gave d'Aspe. Au confluent s'élève l'antique Iluro des Romains. De la cité, par la suite féodale, il reste l'ÉGLISE SAINTE-CROIX entourée d'anciennes maisons. C'est une église romane de plan bénédictin qui possède également une coupole nervée. Mais nous allons nous rendre dans la ville basse à SAINTE-MARIE-D'OLORON. Cette église avait les mêmes dispositions que Sainte-Croix, mais elle fut restaurée comme la précédente au XIX° siècle après de nombreuses vicis-situdes. Ce qui nous intéresse c'est son portail.

Le tympan est divisé dans le bas en deux demi-cercles qui représentent d'un côté Gilgamesh et de l'autre Daniel, à moins que les deux personnages ne soient que Daniel répété de chaque côté et jeté deux fois dans la fosse aux lions. Au centre du tympan, la Descente de Croix ; mais la croix n'est pas, ici, l'ignominieux gibet du supplice ; c'est une croix triomphante ornée de décorations qui imitent les pierres précieuses ; le corps mort est détaché du bois, mais la représentation de la Croix demeure ce qu'elle était dans les premiers siècles, car ce n'est qu'au xiᵉ siècle que l'art byzantin a osé représenter le Crucifié. Au-dessus de ce triomphe de la Croix, dans la première voussure, toute une série de petites scènes rustiques représentent des préparatifs de noces ; on tue le bétail, on apprête le poisson, le vin, les fruits. Car c'est bien à des noces que nous sommes conviés, des noces mystiques, celles de la nature divine avec la nature humaine, du Dieu fait homme. Dans la deuxième voussure, les 24 vieillards de l'Apocalypse couronnés tiennent à la main leur instrument de musique ; au milieu l'Agneau attend d'être sacrifié. Cet ensemble nous rappelle la Saintonge, mais les atlantes qui soutiennent le trumeau nous évoquent Beaulieu-sur-Dordogne. Ici ce ne sont pas les prophètes qui sont représentés, ce sont des captifs enchaînés et, si nous levons les yeux à notre droite, un cavalier. Celui-ci est peut-être Constantin foulant aux pieds l'hérésie ; mais nous sommes trop près de l'Espagne pour ne pas songer à Santiago, celui de la bataille de Clavijo, celui qui anéantit le Maure ou l'enchaîne pour supporter le poids de la « Rédemption ».

Depuis que votre mère, cher « Jacquot », a débarqué aux Saintes-Maries, que saint Gilles a fondé son abbaye et saint Guilhem son moustier, que de chemin parcouru ! Les Aliscamps sont loin, la Provence chante pourtant à nos oreilles ; elle s'unit au Languedoc qui a combattu et à la flûte :

C'est la verte douceur des soirs sur la Dordogne
Ecoutez, les Gascons : c'est toute la Gascogne !...

C'est une autre chanson que nous, les pèlerins, nous allons entonner, celle qui a résonné sur le seuil de l'Espagne durant plusieurs siècles :

Adieu la France jolie
Et les nobles fleurs de Lys !
Car je m'en vais en Espagne,
C'est un étrange pays !

Nous allons le découvrir.

CINQUIEME ROUTE

La Foi, dit-on, peut déplacer les montagnes ; nos pèlerins ne les déplaçaient pas, ils les franchissaient dans l'enthousiasme. Et c'est à cette époque que Louis XIV aurait dû dire : « Il n'y a plus de Pyrénées. » Il n'existait que deux passages : les cols de RONCEVAUX et de SOMPORT. Ceux qui venaient des trois premières routes s'étaient groupés à Ostabat et allaient emprunter le col de Charlemagne et celui de Roland et marcher sur les pas des vaillants preux dont ils avaient tant entendu vanter la noblesse et la bravoure.

> *... Tranquilles cependant, Charlemagne et ses preux*
> *Descendaient la montagne et se parlaient entre eux...*
> *Sur le plus haut des monts s'arrêtent les chevaux ;*
> *L'écume les blanchit ; sous leurs pieds Roncevaux !... (1)*

Ils croyaient en effet avec une grande et pure naïveté que Durandal avait fait la brèche qu'ils regardaient, que l'armée était composée de trois cent mille Sarrazins et que Roland avait péri dans la sombre journée pour avoir soufflé si fort dans son cor d'ivoire que les veines de son cou s'étaient rompues... Belle légende ! La réalité est une embuscade au cours de laquelle des Basques écrasèrent l'arrière-garde de Charlemagne en faisant rouler sur elle de gros rochers.

---

(1) A. de Vigny, *Le Cor.*

Si tous ces souvenir émerveillaient nos Jacquaires, ils n'étaient pas très rassurés. Après le passage des Pyrénées ils allaient en effet prendre contact avec les habitants de la Navarre dont le Guide disait le plus grand mal : « Ces gens sont mal habillés, mangent et boivent mal. Chez le Navarrais toute la maisonnée, le serviteur comme le maître, la servante comme la maîtresse, tous ensemble mangent à la même marmite les aliments qui y sont mélangés, et cela avec leurs mains, sans se servir de cuillers, et ils boivent dans le même gobelet. C'est un peuple barbare, différent de tous les peuples et par ses coutumes et par sa race, noir de couleur, laid de visage... » J'en passe et des meilleures...

Je suis toujours partie de Saint-Jean-Pied-de-Port avec un ciel couvert et j'arrivais au col d'Ibañeta (1 057 mètres d'altitude) dans la brume. J'imaginais nos pèlerins qui avaient franchi le défilé de Valcarlos, gravi le col et qui, devant l'Espagne qui s'annonçait à leurs pieds, se mettaient à genoux et avec les deux morceaux de branchage coupés en bas, fabriquaient une croix rustique et la plantaient en terre. Après le col, les nuages se déchirent et c'est avec le soleil que j'arrivais à Roncevaux.

La descente est abrupte ; elle traverse des bois resserrés parfois comme deux hautes murailles, puis brusquement des bâtiments surgissent. Voici l'hospice des pèlerins, construit en 1132 dont les murs sont noirs et la couverture en pierre plate. L'église était sous le vocable de Sainte-Foy. On y vénérait une Vierge de bois venue de France, la massue de Roland, les pantoufles de Turpin et les chaînes qui avaient attaché les Sarrazins à la célèbre bataille de Las Navas de Tolosa en 1212. Comme les moines qui expliquaient ces reliques profanes devaient insister sur cette célèbre bataille ! Ce jour-là, le 16 juillet, trois rois : Sanche VII de Navarre, Pierre II d'Aragon, Alphonse VIII de Castille, avec leurs chevaliers, avaient écrasé les Maures et amorcé le pas décisif de cette Reconquête qui devait durer jusqu'au 2 janvier 1492.

Nous y voyons encore de grands bâtiments, avec de lourdes toitures de zinc et d'innombrables fenêtres toutes semblables. Cet aspect est rude et sévère, il apporte une note de tristesse. Est-ce parce que cet ensemble est vide désormais ? Il était fait pour une foule, il ne voit plus que de rares touristes.

L'église actuelle fut bâtie et consacrée à la Vierge par Sanche VII le Fort, qui voulut y être enterré avec sa femme, Clémence, fille du comte de Toulouse, Raymond IV. C'est lui qui avait apporté les célèbres chaînes. Au maître-autel la « Vierge recouverte d'argent » trône toujours. Elle est du XIIIe siècle et vient de France : elle éclaire un peu cette sombre église à trois nefs qui paraît enfouie dans la montagne. Nos pèlerins ici se sentaient chez eux devant cette Madone ; et puis, au moustier, ceux qui les accueillaient étaient des religieux de l'ordre de Saint-Augustin, venus de France.

En suivant le tracé de l'ancienne route nous arrivons à la construction la plus intéressante de Ronceveaux : la chapelle du Saint-Esprit. La légende raconte qu'à cet emplacement Charlemagne aurait enterré Roland et qu'il y aurait même fait transporter un morceau de la roche que son neveu avait fendue avec son épée. Cette construction du XIIe siècle était un étrange monument carré à deux étages ; l'étage inférieur formant une sorte de crypte en partie saillante au-dessus du sol, prenait accès par un grand arc percé dans le mur nord de l'édifice. Au-dessus la chapelle haute possédait une voûte nervée dont les arcs font encore saillie sous le crépi et le badigeon modernes. Cette construction était entourée d'un portique s'ouvrant sur ses quatre faces par de grands arcs en plein cintre, huit à l'ouest, sept au nord, au sud et l'est. Ces arcs sont bouchés et l'édifice recouvert d'un grand toit en zinc. Cette chapelle était une chapelle funéraire et tous ceux qui mouraient à l'hôpital, épuisés par la longue route et la pénible montée, allaient dormir leur dernier sommeil dans ce charnier où leur poussière s'est mélangée à la terre. C'est encore aujourd'hui le cimetière du lieu. A côté de la chapelle du Saint-Esprit est la chapelle Saint-Jacques qui s'élève, encore presque intacte, au sud du monastère sur le bord de la route.

Le paysage n'a pas changé depuis le 15 août 778, mais l'épopée médiévale ne retentit plus avec le bruit du cor... Nous nous inclinons en pensée devant tous ceux qui, pleins de confiance, croyaient toucher au but et que la mort a fauchés dans la sombre vallée...

La capitale de la Navarre nous apparaît étroitement corsetée de remparts et avant d'y rentrer nous nous rappelons. Les gens de PAMPELUNE avaient appelé Charlemagne à leur secours contre les Maures et l'Empereur était venu. Mais comme il ne voulait pas au-delà des Pyrénées une puissance capable de lui nuire, il avait fait raser les remparts de la ville. Pampelune décida de se venger et c'est elle qui avait envoyé les Basques dresser l'embuscade contre l'arrière-garde où était Roland. Roncevaux n'est pas oublié si vite...

Au-dessus du méandre frais de l'Arga s'élève la cathédrale à laquelle le XVIIe siècle ajouta une façade classique. Nous irons dans le cloître gothique voir le réfectoire qui accueillait nos jacquots et la cuisine avec ses cinq cheminées, une dans chaque angle et une au centre. Elle est vaste comme celle de Fontevrault et figure en Espagne parmi les plus belles avec celles de Poblet et de Huerta. Cet ensemble : cloître, ancien réfectoire avec sa chaire du lecteur, et ancienne cuisine, forme le centre le plus important d'art gothique français hors de France.

L'ancien hôpital « Notre-Dame de la Miséricorde » a été transformé en musée de la province de Navarre. Nous, touristes du XXe siècle, ce n'est pas pour nous faire soigner que nous devons y entrer mais pour y admirer un ensemble très bien installé et fort intéressant. Tous les âges y sont représentés. Je ne citerai que les stèles funéraires, entre autres celle qui provient de l'ermitage de San Sebastian de Gastiain avec ses diverses représentations entourées de vignes avec feuilles et grappes, le tabernacle gothique de Metauten et la mosaïque romaine du IVe siècle qui provient d'un pavement d'une villa « del Ramalete » à Tudela, des chapiteaux romans ainsi que des peintures murales.

Pampelune nous amène à PUENTE LA REINA, mais comme à cette jonction arrivaient d'autres pèlerins, allons à leur rencontre.

Ceux qui traversaient les Pyrénées au col de SOMPORT venaient de la quatrième route. Ce col a 1.631 mètres d'altitude, il est rocailleux et les Jacquaires étaient heureux à leur descente d'être accueillis dans l'hôpital de Sainte-Christine qui était beaucoup plus considérable et beaucoup plus fameux que celui de Roncevaux. Il n'en reste que le souvenir et la description qu'en donne le guide, avec les ruines que le rio Aragon vient consoler. Des habitations ont été construites dans l'enceinte du vaste hôpital.

JACA nous donne l'impression d'une ville de garnison avec sa massive citadelle, mais ce sont les sculptures de la cathédrale qui vont attirer toute notre attention. Au portail occidental, qui date de 1100 environ, figure dans le tympan le Christ entre deux lions qui terrassent un homme et un animal; au porche sud c'est le sacrifice d'Abraham, le roi David avec ses musiciens, des anges et des athlètes et même la coquille Saint-Jacques. Quelle force dans le sacrifice d'Abraham, quel réalisme dans les musiciens et les bateleurs, quel fantastique dans le triomphe des monstres redoutables et mystérieux ! Ces mêmes sculptures nous allons les retrouver tout au long du « camino francès ».

La cathédrale a une tour carrée et un plan roman et l'on a retrouvé les galeries de l'ancien cloître dont on voit de très beaux chapiteaux que nos pèlerins dans ce promenoir pouvaient regarder sans se trouver dépaysés. Premier édifice de cette première étape espagnole, fondé par Ramire premier roi d'Aragon. Un musée est installé dans une chapelle du cloître.

Il est une excursion que nous n'avons plus aucun mérite à faire, c'est celle du monastère de SAN JUAN DE LA PENA. Jadis une route menait jusqu'à la cime du mont Pano où s'élèvent les bâtiments ruinés d'un couvent reconstruit du XVIIe au XIXe siècle ; puis il fallait redescendre ensuite par un chemin muletier, très à pic à travers une pinède, descendre au pied d'un rocher calcaire pour voir un curieux ensemble des XIe et XIIe siècles. Il existe maintenant une route accessible aux voitures et nous n'avons, pour venir contempler cette ancienne abbaye clunisienne, qu'à demander la clé au couvent du haut. L'église a son abside et ses absidioles taillées dans le roc, un portail dont l'arc est outrepassé porte cette inscription qui préfigure le ciel :

Porta per hanc caeli fit pervia cuique fideli
si studeat fidei jungere jussa Dei.

Le cloître est aérien, il a de magnifiques chapiteaux historiés racontant la faute de nos premiers parents et ses conséquences : le travail de la terre, un ange réveillant saint Joseph pour lui dire de fuir en Egypte, l'entrée de Jésus à Jérusalem le jour des Rameaux, etc. Au-dessus la roche rouge ; c'est là que les premiers rois d'Aragon avaient voulu leur Panthéon et de nouveau Cluny s'impose à nous ; Saint-Juan de la Peña a été la deuxième abbaye en Espagne, après celle de Ripoll, à adopter sa règle. Dans cette gorge étroite et sauvage, dans cette nature impressionnante faite de grandeur et de mélancolie, j'imagine mal les sentiments de nos Jacobites mais je crois que l'amour était quand même plus fort que la crainte.

Nous allons suivre le rio Aragōn jusqu'à Yesa où a été creusé un grand lac artificiel, et de là monter par un sentier en lacets jusqu'à SAN SALVADOR DE LEYRE.

Ce sanctuaire existait au IXᵉ siècle ; la crypte avec ses voûtes de quatre nefs de quatre travées qui retombent sur des colonnes courtes dont les énormes chapiteaux striés sont très frustes. C'était le Panthéon des rois de Navarre qui, comme ceux d'Aragon, savaient bien choisir leur dernière demeure. L'abbaye fut clunisienne, puis cistercienne ; son portail à l'ouest a quatre voussures qui retombent sur des colonnettes. Le tympan comme les écoinçons ont servi à remployer une profusion de bas-reliefs de toutes les époques dont l'iconographie est difficile à suivre. Nous y reconnaissons pourtant notre Santiago et son bourdon. Il faudra nous habituer à ce désordre que nous retrouverons à Sangüesa, à Estella, et surtout au portail de Las Platerias à Compostelle. L'abside et les absidioles sont hautes et lisses, le clocher est carré, et le décor environnant désertique d'où émergent quelques pins ; une flore de maquis hérisse à l'horizon un mur dentelé de falaise calcaire se profilant sur des douceurs mauves et bleues fondues.

Depuis le XVIᵉ siècle on passait par la ville natale de saint François-Xavier. C'est en effet à JAVIER que naquit François en 1506, mais, comme je vois toujours sur cet itinéraire les mêmes similitudes, je pense que c'est le 15 août 1534, dans la crypte du Martyrium, 9, rue Antoinette, à Paris, devant le Père Favre, qu'Ignace de Loyola, François-Xavier et leurs compagnons décidèrent de fonder la Compagnie de Jésus.

Au confluent de l'Aragon et de l'Iraty se situe SANGÜÊSA, charmante petite ville qui est toujours en fête. Je n'y suis jamais allée sans rencontrer à travers la rue principale de joyeuses bandes de jeunes gens qui dansaient sans se soucier de l'embouteillage qu'ils provoquaient. Une église Saint-Jacques attend les pèlerins ainsi qu'un hôpital, mais au bord du rio c'est Santa-Maria la Réal, qui appartenait aux chevaliers de Saint-Jean de Jérusalem, qui a conservé, au sud, une des plus remarquables façades de l'Espagne. Trois voûssures retombent sur des statues colonnes qui évoquent celles de Chartres ; au tympan un Jugement dernier avec au linteau la Vierge et l'Enfant entourés des apôtres ; dans les écoinçons un remploi d'animaux fantastiques et de motifs décoratifs ; au-dessus deux rangées d'arcatures abritent le Christ dans le Tétramorphe et quatorze personnages. Une des statues colonnes est signée « Leodogarius », nom Bourguignon, ce qui a fait dire que le sculpteur venait de Bourgogne, et pourquoi pas ? Entre cette province et la route de Saint-Jacques, les rapports étaient constants dans tous les domaines. A la porte, des coquilles nous prouvent que nous sommes sur le bon chemin.

Avant Puente la Reina un petit détour nous met en présence, au milieu d'un champ, de la chapelle funéraire d'EUNATE. Elle est de plan octogonal avec une petite abside semi-circulaire et une petite tour qui renferme un escalier. Il devait y avoir une lanterne des morts, qui a été remplacée au xvie siècle par un petit clocher-mur percé de deux arcs. C'est de cette époque que date également le portique qui a utilisé sur trois faces les restes d'un cloître roman et qui possède cinq autres faces dans un style classique tout différent. La coupole à l'intérieur est nervée. Le cloître de trente-trois arcs qui retombent sur des colonnes jumelées devait être un charnier, mais qui a fait construire cette chapelle ? Etait-elle près d'un hôpital sur la route des pèlerins ? Aujourd'hui, toute dorée, elle a l'air de nous dire que la mort n'est pas triste et que c'est avec elle que nous aurons notre dernier rendez-vous.

C'est à PUENTE LA REINA que nous retrouvons les Jacquaires venus de Roncevaux. C'est une ville formée d'une longue rue qui se termine par un pont en dos d'âne à six arches qui se mirent dans le rio Arga. Ses grosses piles sont munies de becs pour fendre le courant lorsque la rivière est en crue. La ville s'appela Gares jusqu'au jour où la reine doña Mayor, femme de Sanche II, fit construire un pont pour faciliter le passage des pèlerins. Elle prit alors le nom : Puente la Reina. Ce pont qui a enregistré tant de pas voit encore les piétons se garer contre les parois du pont au passage de quelques chars rem-

PONTEVEDRA : la Vierge habillée en pèlerine, le 15 août.

SANTIAGO DE COMPOSTELLE : Maître Mathieu bat sa coulpe (ci-contre à gauche).

SANTIAGO DE COMPOSTELLE : Patio de l'Hôpital Real.

SAINT-JACQUES (SANTIAGO) DE COMPOSTELLE : le but du voyage-pèlerinage.

Au Portail de la gloire, le Christ et les vingt-quatre vieillards.

plis de foin. L'église Santiago possède un magnifique portail sud où cinq voussures retombent sur des colonnes à chapiteaux historiés, séparées par des colonnettes dont le haut est orné de masques. Pas de tympan, mais un arc à huit lobes festionnés qui rappellent l'influence arabe et que nous avons déjà eu l'occasion de voir sur des églises de nos routes françaises. En face était l'hôpital des pèlerins ; mais ils ne manquaient pas d'aller à l'église de Crucifijo, ou du Sépulcre, pour vénérer l'œuvre d'un pèlerin allemand ; un Christ en bois sculpté peint. Peu d'images sont aussi troublantes que celle-ci ; pourtant il ne s'en dégage pas le réalisme espagnol, mais une stylisation de la souffrance qui émeut et bouleverse. Je m'imagine que devant ce Christ nos pèlerins devaient demander la force et le courage de continuer la route. Il restait environ sept cents kilomètres à parcourir; le guide indiquait dix étapes, mais il paraît que c'était pour ne pas décourager car, en réalité, il en fallait au moins vingt-neuf.

Nous voici à ESTELLA, la première étoile de cette voie lactée qui tombait du ciel, et nous lisons dans le guide : « Le pain est bon, le vin excellent, la viande et le poisson abondants et l'eau du rio Ega douce, saine, excellente. » Un vrai paradis pour nos pèlerins. Mais comme il faut toujours payer les bienfaits du ciel depuis que nos premiers parents ont péché, tous les sanctuaires que nous visiterons sont sur une hauteur et il nous faudra gravir des escaliers inégaux aux marches sans fin pour arriver ruisselants, essoufflés, mais émerveillés...

Tout d'abord SAN PEDRO DE LA RUA avec ses sept voussures brisées et son arc polylobé orné de fleurs ; dans la sombre église une porte bardée de fer garde jalousement le cloître qui s'encadre dans un décor de rocher et qui est presque de plain-pied avec la route. Au milieu du parfum des plantes aromatiques et des noirs cyprès nous voyons que l'église a été surélevée et nous admirons la variété des chapiteaux : Annonciation, Visitation où les deux femmes s'embrassent vraiment, Ensevelissement et tombeau vide. A mes pieds une mauve, et je repense au vieil Ambroise que nous avons connu à l'Aubrac lors de la troisième route. Ne serait-ce pas ici qu'il a été abandonné et la mauve qu'il a cueillie n'aurait-elle pas poussé à

l'ombre de l'église ? Ne manquerait-il pas une lettre à **Rua** ?
San Pedro de la Ruda : Saint-Pierre de la Plante !

En bas de la descente, l'ancien palais des ducs de Grenade
avec son rez-de-chaussée formé par une galerie et, au premier
étage, quatre splendides fenêtres géminées. Il nous faut remonter vers l'église San-Miguel qui semble assise sur un rocher
avec ses constructions qui vont du XIIᵉ au XVIIIᵉ siècles. Allons
tout de suite admirer le portail nord. Cinq voussures avec des
personnages et des détails d'une précision admirable : corde
du puits de la Samaritaine et celle de crucifié, par exemple.
Les chapiteaux historiés racontent les événements de la naissance de l'Enfant ; sur les murs, de chaque côté, le Jugement
dernier avec le Ciel à gauche et l'Enfer à droite ; contre la
porte un glouton qui nous rappelle la Saintonge et l'Orient.
Jamais je ne me suis sentie tant en France que devant ce
portail où, dans le tympan, le Christ en gloire est au milieu
du tétramorphe et où chaque personnage joue dans son drame
avec notre propre tempérament et sobrement.

Comme à Puente la Reina, il y avait ici une église dédiée
au Santo Sepulcro. Au sud existe un très beau portail du
XIIIᵉ siècle avec un tympan à trois registres où figurent la
Cène, la Crucifixion et le Christ après la Résurrection, laissant
le sépulcre vide et allant aux limbes délivrer nos premiers
parents et leur progéniture, tandis que les Saintes femmes ne
le trouvent plus et qu'Il apparaît à la Madeleine. De chaque
côté, deux galeries de saints dans des niches ; nous y reconnaissons bien entendu parmi eux notre saint Jacques en pèlerin. Mais l'originalité de cette façade, ce sont au-dessus du
tympan les voussures qui ont l'air de former une draperie
finement plissée tenue au centre par des anneaux qui seraient
des bustes d'anges.

Les ruines grandioses du couvent de Santo-Domingo s'élèvent comme un antique navire échoué au rivage et qui dresse
dans le ciel sa carcasse creuse. Mais nous allons retrouver la
France bien vivante avec ses deux sanctuaires : Notre-Dame
du Puy (un peu trop restauré) et sa Vierge noire, Notre-Dame
de Rocamadour et sa Vierge de bois. Estella ne nous a pas
trompés, nous sommes bien sur le chemin de l'étoile !...

Ce sont maintenant des souvenirs de batailles qui vont
rythmer notre marche en avant. Nous passons non loin de
CLAVIJO où, en 844, les Maures furent écrasés grâce à l'apparition du « Matamore », célèbre victoire, tandis qu'entre Navar-
rette et Najera c'est le souvenir de la défaite de Du Guesclin :
en 1367, allié de Henri de Transtamare, il fut battu par Pierre
le Cruel et le Prince Noir.

A NAJERA le couvent de Santa Maria était une abbaye de
l'ordre de Cluny. L'église du XIe siècle fut reconstruite au XVe
mais garde une abside puissante qui abrite encore à l'intérieur
un panthéon des rois de Navarre, de Castille et de Léon. Les
sculptures du mausolée de doña Blanca femme de don Sanche III sont remarquables et le cloître du XVIe, avec ses fenes-
trages très travaillés, nous fait admirer de la dentelle de pierre.
L'ancien couvent, résidence royale, s'incruste dans la falaise
rouge qui domine la rive du Najerilla ; c'est peut-être de
là-haut que l'ennemi aperçut nos troupes !

> Oh ! Combien nous sommes joyeux
> En entrant dans Santo Domingo,
> Nous entendrons le coq chanter
> Et aussi la blanche galline...

C'est avec ce chant que nous entrons à SANTO DOMINGO DE
LA CALZADA où nous nous dirigeons vers l'église. Le portail sud
classique et le clocher baroque ne doivent pas nous dérouter ;
nous sommes bien devant une église du XIIe siècle ; le chevet
possède de très beaux chapiteaux extérieurs ; le déambulatoire
est un tâtonnement vers le gothique. Mais tout d'abord, qui
est ce Santo Domingo ? Un moine qui s'est fait cantonnier par
amour du prochain et qui, sans le vouloir, a fondé les « Ponts
et Chaussées ». C'est lui qui entretenait les chemins de nos
Jacobites et il fut si charitable qu'on le canonisa et qu'au-
dessus de son tombeau on éleva une église. Et c'est en cette
ville que se déroula la plus belle légende des routes de Saint-
Jacques.

Trois pèlerins, le père, la mère et le fils, un peu plus fortunés
que les autres, descendaient dans des auberges. Celle de cette
bourgade avait une servante qui s'éprit du jouvenceau et,

contraiirement à ce qui se fait, lui déclara, « elle », sa flamme. Elle fut rebutée car, lorsque l'on fait un pèlerinage, on se montre sage ; alors, folle de rage, elle cacha une tasse d'argent dans la panetière du garçon. Le lendemain matin ils partirent sans se douter de rien et la servante prévint son patron que le fils avait volé, qu'elle l'avait vu. La police fut alertée, on les rattrapa, le fils fut fouillé et, comme c'était vrai, le juge, « sans autre forme de procès », fit pendre le jeune homme séance tenante. Les parents décidèrent de poursuivre leur route jusqu'à Saint-Jacques et, au retour, demandèrent où était la tombe de leur fils. Il était toujours à son gibet. Quelle ne fut pas leur stupeur en constatant que, depuis un mois, il était toujours aussi frais et rose ! Ils coururent chez le juge pour leur faire part de leur constatation. Il était à table en train de déguster un poulet. Il les raille et s'écrie : « Si le poulet que je mange se met à faire cocorico, je vous croirai. » Le poulet se dresse sur ses ergots qui repoussent et lance son cocorico... Juge et parents courent au gibet, détachent le fils qui n'est pas mort, et c'est la joie délirante. Cette belle légende du pendu dépendu circulait de bouche en bouche ; elle s'est inscrite dans nos vitraux : à Notre-Dame-en-Vaux de Châlons-sur-Marne, à Saint-Nicolas de Châtillon-sur-Seine, à la Cour-sur-Loire (Loir-et-Cher) ; dans cette dernière église, elle a pris une variante faite à Toulouse et à Compiègne dans des mises en scène du XVIᵉ, où le fils innocent fut supplicié à la place du père qui, lui, était coupable. Cette légende apparaît même dans le livre d'heures d'Etienne Chevalier, enluminé par Fouquet, parmi les quarante miniatures sous le martyre de Saint-Jacques-le-Majeur. Cette miniature est au musée Condé à Chantilly.

Revenons à notre église ; le saint y repose dans son tombeau, où le marbre, l'argent et l'or s'y mélangent, entouré d'une grille en fer forgé avec, en face, une cage fermée par une belle grille entourée d'une riche décoration platéresque. A l'intérieur, certains voient deux coqs, d'autres deux poules, ou un coq et une poule ; en tous cas, m'a affirmé une brave paroissienne, « il y a des œufs ». Ces deux volatiles étaient sur un barreau ; le premier coup de la messe avait sonné ; l'une à côté de l'autre, habituées aux offices et au défilé des touristes, attendaient l' « Ite, Missa est », pour picorer ou caqueter.

Nous sommes en Castille, en vieille Castille, la véritable Espagne, celle où la langue est la plus pure, où les courbes du terrain, selon la saison couvertes de blé, de chaumes, de nudité, prennent des tons d'or, de bleu profond ou de violet qui s'empourpre « Suelo querido » disent les Castillans, et combien je les comprends ! J'ai vu cette contrée à diverses époques et je garde au fond de mes yeux la vision d'un dépiquage de blés sous un soleil en rage et celle d'un arc-en-ciel qui partait d'une meule pour finir dans une autre sous un soleil de plomb.

Les flèches de la cathédrale de Burgos se voient de très loin. Œuvre de Jean de Cologne, elles sont, comme l'a écrit Théophile Gautier, « taillées en scie, découpées à jour comme à l'emporte-pièce, festonnées et brodées, ciselées jusque dans les moindres détails comme un chaton de bague ». Au-dessus de la nef principale et du transept, un dôme octogonal à deux étages forme comme une couronne ajourée. Cette cathédrale, dite la plus gothique de l'Espagne, est un véritable musée où l'on admire plutôt que de prier. Dans sa chapelle notre « Matamore » caracole sur un cheval en haut de la grille ; dans celle du Condestable on voit, sur le tombeau de la femme du connétable qui repose à côté de lui, entre ses doigts non un chapelet mais un collier de perles qu'il lui avait offert et qu'elle avait vendu pour faire bâtir les mausolées : attention extrêmement délicate ! Le « Papamoscas » avale les mouches en même temps que les heures et la gloire du Cid retentit à tous les échos. Ici, Rodrigue a remplacé Roland et « Durandal » devient « Tizona ». Dans la ville, c'est la Casa del Cordon où est mort « le beau Philippe », ce qui a rendu folle sa femme, la mère de Charles-Quint, ce dernier trônant à « l'arco de Santa-Maria ». Cette même maison avait vu la gloire de Christophe Colomb lorsqu'il rentra en triomphateur et qu'il y fut reçu par les Rois catholiques ; les parents d'Isabelle reposent à quelques kilomètres, à la chartreuse de Miraflores. N'étaient les deux hôpitaux qui recevaient les pèlerins, Saint-Juan et del Rey, nous aurions l'impression de nous être trompés d'itinéraire. Ce qui est exact c'est que nos pèlerins ont surtout vu des monuments en construction et l'on dit même que de nombreux Français travaillaient dans cette ville. Ils fabriquaient du charbon de bois pour les fours qui fondaient les vitraux ; il devait même y avoir des maçons, puisque la partie xiiie de la cathédrale serait, paraît-il, l'œuvre d'un architecte français.

Allons chercher un peu de fraîcheur près des peupliers qui bordent l'Arlanzon et dirigeons-nous vers le monastère de Las Huelgas (Loisirs du Roi). C'est en effet le roi Alphonse VIII qui fonda ce monastère en 1175 pour cent moniales venues des plus nobles familles castillanes, et parmi elles la propre fille du roi, Constance, sœur de Blanche de Castille, qui y fut abbesse. L'ensemble est du xiiie siècle avec deux cloîtres, l'un encore roman, l'autre d'un très pur gothique.

Je crois que tous les pèlerins avaient le temps de pousser jusqu'à Santo Domingo de Silos. Ce monastère est au sud-est de Burgos et je ne peux comprendre que les circuits touristiques — qui doivent être faits avec intelligence et bon sens — ne l'inscrivent pas dans leur itinéraire comme excursion de premier ordre.

Nous voici dans le paysage le plus pelé de la Castille, et c'est un peu d'eau venant des monts qui a donné l'idée à quelques religieux de fonder ici un monastère. Il fut rasé par les Maures. Au xie siècle, Ferdinand Ier le ressuscita et lui donna comme abbé un Domingo qui devait devenir le saint de l'abbaye. L'église romane est remplacée par une autre très sèche, mais le cloître est du xiie et il offre un spectacle inoubliable. Deux étages de soixante arcades, des chapiteaux historiés ou décoratifs représentent de la vannerie, des monstres, des guerriers et surtout des sortes d'autruches qui baissent la tête en déployant leurs ailes, une forêt de symboles inscrits dans la pierre ou le marbre et, aux angles, des hauts-reliefs qui rappellent Moissac ou Saint-Trophime d'Arles. L'un d'eux, à la pile sud, montre une Déposition de Croix, thème assez rare à cette époque ; nous en avons vu une à peu près semblable à Foussais (première route) et à Sainte-Marie-d'Oloron (quatrième route). A un autre angle, les disciples d'Emmaüs rappelant Jésus car « il se fait tard » ; ce dernier se retourne, c'est un vrai Jacobite car il a son bâton et sa panetière marquée de la coquille. Un petit mur montait entre les arcatures ; les moines l'ont retiré et le jardin avec ses noirs cyprès, sa fontaine où l'eau jaillit comme des perles, son bassin où s'ouvrent les nénuphars et où des colombes viennent boire, sa profusion de fleurs, nous introduit dans une réalité faite de rêve qu'on a su retenir... Ce cloître est le plus merveilleux de toute l'Europe. Celui qui a eu le bonheur de le voir une fois y pense chaque fois qu'il en voit un autre, il devient la toile de fond qui ne peut changer, les autres s'y superposent. Quelle main a sculpté avec tant de spiritualité ? tant d'expression ? Nous y retrouvons la veine languedocienne dans la pierre dorée ; elle dessine un contour créé dans l'enthousiasme tandis que les poutres du plafond ont été peintes par des Maures peut-être convertis ou libérés et passés au service des moines. Ici tout chante la vie, la joie de vivre parmi la beauté ! (Par dépouillement bénédictin le vert gazon vient de remplacer les fleurs.)

Comme nous ne pouvons, malgré notre vif désir, nous arrêter à chaque petit relais, il faudra savoir nous contenter des étapes importantes. Celle de FROMISTA s'impose à nous avec son église San Martino. Un moustier bénédictin fut fondé là en 1066 par la reine de Navarre. La façade s'encadre entre deux clochers circulaires ; la tour lanterne s'élève sur la croisée voûtée d'une coupole sur trompes ; le chevet est composé d'une abside entre deux absidioles. Le plan est simple, les proportions sont heureuses et l'ensemble nous rappelle le Poitou. A l'intérieur, trois nefs et les chapiteaux montrent des hommes domptant des lions, des oiseaux affrontés, des sortes d'escargots aux angles, comme à Jaca, ou l'Adoration des Mages. Nous savons que cette église a été très restaurée mais au coucher du soleil la pénombre blonde, qui baigne l'intérieur, fait oublier les blessures pansées pour ne créer qu'une atmosphère de plénitude.

VILLALCAZAR DE SIRGA. — Son église a été bâti par les Templiers. Le portail sud (du XIIIᵉ siècle) nous rappelle la sculpture rémoise. La Vierge et l'Enfant avec ses adorateurs, le Christ en gloire au milieu des évangélistes, parmi les saints dans les régistres ; aux voussures les vieillards de l'Apocalypse, des anges, des prophètes : tout y figure et entre régistres et voussures se voient encore quatre fleurs de lys encadrant une colombe. A l'intérieur, de nombreux tombeaux dont l'un a conservé toute sa polychromie.
Nous allons abandonner ce pur gothique pour retrouver le

roman à Carrion de los Condes. Dans la ville « du grand caril-
lon » flotte encore le souvenir du Cid, car ses filles, dit la
légende, épousèrent les fils de Carrion. Mais avant tout c'est
une étape importante de notre route, où deux moustiers nous
attendent. Allons d'abord saluer « la Virgen del Camino » dans
son église où le portail est à l'abri sous un porche. J'imagine
tout l'enseignement que nos pèlerins pouvaient en retirer. Du
premier arc sortent des têtes de taureaux ; au-dessus les vieillards de l'Apocalypse, mais, comme il y a trente-six claveaux,
d'autres personnages complètent. Au-dessus, dans une frise,
à gauche l'Adoration des Mages, et à droite le Tribut payé
au roi maure. Des cavaliers encadrent les voussures : celui de
droite foule aux pieds un personnage, je ne veux pas y voir
Constantin mais notre « Matamore » qui va nous libérer du
roi Maure qui est à côté, et surtout me redire que nous sommes
près du but, que c'est lui ce même cavalier qui était en Saintonge sur la façade des églises et qu'il a protégé notre route.
Je crois que nos Jacquaires pensaient de même sous la galerie
de Santa Maria del Camino !

Mais nous irons saluer notre apôtre dans son église Santiago
dont le portail nous montre dans la voussure le travail des
commerçants auxquels ont été accordées les chartes de Bertrand de Laon et dans la frise la gloire du Christ.

Sahagun offrait aux pèlerins une abbaye bénédictine du
xie siècle, une des plus importantes de l'Espagne, avec un
hôpital ; aujourd'hui ce sont des ruines. Mais il reste encore
des églises de style mudéjar et c'est sans doute l'endroit où
ce style est le plus employé dans l'art chrétien. L'abside de
San Lorenzo avec ses baies outrepassées et son puissant clocher carré de quatre étages, San Tirso avec ses arcatures et
tout cet ensemble réalisé en briques allant de la rose au pavot,
de l'ocre à la pourpre, dans ce mélange de roman, de gothique
et d'arabe, impressionne par cette esthétique qui se dresse
dans des rues et des ruelles où la terre rouge des champs a
repris possession de ses anciens droits et tourbillonne en poussière d'or rouge envahissant tout ce qu'elle rencontre.

Avant d'arriver à Léon, il faut remonter l'Esla pour aboutir
au sanctuaire de San Miguel de Escalada, qui est un des
monuments mozarabes les plus beaux d'Espagne. Dans une

solitude faite pour la méditation s'élève un moustier fondé au
xᵉ siècle par des moines de Cordoue. Ils ont dû tant aimer
la mosquée qu'ils ont voulu transporter ses arcs ontrepassés
dans l'église dont les trois nefs reposent sur des colonnes aux
chapiteaux recouverts de feuilles plates ; ils les ont mis le
long du cloître au midi de l'église et de là, par ce fer à cheval,
ils voyaient l'Esla en songeant au Guadalquivir...

LÉON, capitale de la province du même nom, nous attend.
J'aime beaucoup sa cathédrale qui pour moi est la plus française de l'Espagne. Les porches sans galbe s'avancent vers
nous comme ceux de Reims qui venaient au-devant des rois
pour le sacre ; les sculptures rappellent Bourges ; les bases
des tours Chartres et l'élévation des voûtes Amiens. Seule,
Nuestra Señora la Blanca, au trumeau central, a la fière allure
d'une belle Espagnole dont la beauté s'allie à la noblesse. A
l'intérieur, douze cents mètres carrés de lumière bleue et rouge
avec des pointes d'or qui jouent entre des colonnes fines et
légères. Ces verrières vont de la construction de la cathédrale
(xiiiᵉ siècle) jusqu'à nos jours, et rien n'apporte une note
disparate à ce chatoiement de pierres précieuses. Ici se sont
des saints, là des fleurs, et plus loin saint Jacques apparaissant
dans le ciel au milieu du combat.

A côté est l'église San Isidoro. J'avoue humblement que ce
saint archevêque de Séville ne m'est pas très bien connu ; en
pensant au saint de Madrid j'évoque la merveilleuse toile de
Goya « La Pradera (prairie) de San Isidro ». Mais ici, à Léon,
San Isidoro est le « Saint Denis espagnol ». Fondé au xiᵉ siècle
pour devenir sépulture royale, il ne reste de la construction de
Ferdinand Iᵉʳ que le narthex ou chapelle des rois, car de nombreux tombeaux conservent les dépouilles mortelles des rois et
de reines. Entre les six travées voûtées d'arêtes, de très belles
peintures du xiiᵉ siècle : l'Annonciation, l'Annonce aux ber-
geés, avec des détails savoureux : l'un d'eux fait boire son
chien tandis que résonnent ces mots « Paix sur la terre aux
hommes de bonne volonté », et que deux antilopes, qui n'ont
pas encore compris, continuent à se battre ; la Cène avec dans
le coin Martial ; on ne peut se tromper, ce nom est écrit au-
dessus ; petit enfant il avait distribué les pains et les poissons
de la multiplication miraculeuse et, plus grand, il fut maître

d'hôtel à la Cène, puis vint évangéliser le Limousin. Comme
la France est présente sur ce chemin ! Après la Cène, c'est
la Crucifixion entre le soleil et la lune, puis la vision apocalyptique en deux temps : le Christ, assis devant l'autel aux sept
chandeliers d'or, symboles des églises, un glaive entre les
dents, apparaît à saint Jean qui se prosterne à ses pieds, puis
voit Dieu assis sur un trône, tenant un livre scellé de sept
sceaux et entouré d'un lion, d'un taureau, d'un homme et
d'un aigle, les quatre rois de la nature. Dans l'église à trois
nefs, dont l'abside a été remplacée par un chœur gothique,
les fonts baptismaux (du XIe siècle) représentent une naïve mais
vigoureuse Adoration des Mages (aujourd'hui dans le cloître).

Les pèlerins trouvaient facilement à s'héberger, ils avaient
le couvent des Augustins, mais surtout celui de San Marcos
près du rio Bernesga. Cet Hôpital était le siège de la Commanderie des Chevaliers de Santiago ; il a été rebâti au XVIe siècle
dans le style plateresque et il a une fière allure avec son immense
façade où, au-dessus du portail, notre Matamore dans un arc
trilobé, entouré de médaillons, d'anges genre amours bien
portants, s'en donne à « cœur ouvert » en écrasant de nombreux infidèles. Au sud de l'hôpital est l'église, qui n'a qu'une
tour et dont la façade est criblée de coquilles comme la Casa
de las Conchas à Salamanque. Ces mêmes coquilles nous les
retrouvons sur la tribune intérieure qui possède des stalles
imitant celles de la cathédrale d'Auch et sculptées par un
Français, Guillaume Dancel. Aujourd'hui cet ancien hôpital
des chevaliers de Santiago est le plus magnifique hôtel de
l'Espagne.

A PONFERRADA, au-dessus du Rio, s'élève l'ancien krak des
Templiers. Ces derniers protégeaient nos pèlerins, et devant
les ruines de ce château du XIIe siècle aux courtines crénelées
entre les tours, nous avons une pensée émue. L'ordre du Temple était une force militaire puissante, mais aidait également
les constructeurs de cathédrales ; depuis que Jacques de Molay
a été brûlé vif en 1314 dans une petite île la Cité — coïnci-
dence ! — les tours sont restées inachevées... Une petite église
du Xe siècle, Santo Tomas de las Ollas, est à quelques kilomètres et elle va nous replonger dans l'art mozarabe. Son abside
est carrée extérieurement et circulaire intérieurement, avec

des arcs outrepassés qui se déploient dans l'arc triomphal qui,
lui aussi, a la même forme.

De Cacabelos, à quelques kilomètres au sud-ouest, un moustier bénédictin du XIIᵉ qui a nom CARRACEDO. Le clocher carré,
qui ne voit plus venir à lui les Jacquaires, abrite un nid de
cigognes, et le portail nord garde jalousement pour qui sait
écarter les feuillages la gloire du Christ dans le Tétramorphe ;
cette sculpture doit être du XIIIᵉ siècle. Les ruines du cloître
et de la salle capitulaire sont fort belles ; au-dessus de cette
dernière, un dortoir qui s'éclaire par des oculi. Cet ensemble
vaste et imposant dans ce décor rustique est surprenant, mais
ce qui est encore plus surprenant c'est que de cette étape il
fallait une semaine pour aller à Santiago, alors qu'en partant
de bonne heure nous pouvons actuellement faire ce trajet dans
la journée. Et, bien entendu, en nous arrêtant, comme les
pèlerins le faisaient, à Lugo.

En voyant LUGO, je pense que ceux de la quatrième route
devaient évoquer Carcassonne. Ville corsetée de remparts et
flanquée de cinquante tours que l'on ne doit approcher qu'au
soleil couchant lorsque la terre est de miel ainsi que la pierre.
Lugo possède une cathédrale qu'il ne faut pas aborder par la
façade principale refaite au XVIIIᵉ siècle dans un style classique
froid et compassé ; il faut y entrer par le portail nord au-
dessous d'un Christ dans une gloire qui rappelle celle de
Vézelay, en poussant une porte dont les panneaux de bois ont
de belles ferrures. L'intérieur fait penser à Conques et annonce
Santiago, à part la chapelle centrale qui a été refaite.

Les pèlerins de la première route qui aboutissaient à Irun,
surtout ceux qui avaient débarqué à Soulac et pour qui « le
chemin de mer allait mieux que le chemin de terre », conti-
nuaient à longer la côte à l'ombre des monts Cantabriques
en passant par le Pays Basque d'Espagne et les Asturies. Ils
s'arrêtaient à l'église de ZARAUZ pour aller se donner du courage devant un tombeau. C'est un inconnu qui gît là, mais
il a été jacquaire car le bas-relief représente la pesée de l'âme
et le poids qui va justifier le mérite est une coquille ; aussi
saint Michel avec son épée repousse-t-il le démon aux griffes
menaçantes. Quel encouragement, car même si la route était

pénible et les dangers nombreux, au jour du grand Jugement il suffira de porter sa coquille trouvée sur la plage de « Padron » pour gagner son Paradis.

A Zumaya un petit ermitage, avec sa chapelle romane et son cloître, accueillait les pèlerins. Un très grand peintre espagnol moderne, Zuloaga, en a fait un musée. Je l'ai parcouru avec Mme Zuloaga en admirant les œuvres de son mari, qui sont de grande qualité ! mais il avait aussi collectionné des Greco, des Goya, des Zurbaran. Dans la chapelle une Virgen de douleur au cœur percé de flèches est poignante de souffrance ; cette vision m'a longtemps poursuivie et les vers de la comtesse de Noailles me revenaient en mémoire :

> Et, l'enlaçant soudain d'un tendre et triste geste,
> Lui dit : ô ma plaintive sœur,
> Quel rival enflammé de ton amant céleste
> T'as mis ce couteau dans le cœur ?

Près des grottes d'Altamira qui étaient, avant la découverte de celles de Lascaux en Périgord, le plus bel ensemble de peintures préhistoriques en Europe, se trouve le village de Gil Blas, Santillana del Mar.

Les rues pavées de gros cailloux, où il serait agréable de circuler à cheval en croupe derrière un fier hidalgo, nous amènent à la collégiale Sainte-Julienne. Cette jeune fille vivait à Nicomédie (aujourd'hui Izmit). Elle épousa le gouverneur romain, mais le soir de son mariage lui dit qu'elle ne serait à lui que s'il devenait chrétien. Le gouverneur l'aimait mais craignait l'empereur et la persuada que s'il se convertissait il serait condamné à mort. « Vous craignez l'empereur de la terre, lui dit-elle, moi je crains davantage l'empereur du ciel », et elle ne voulut pas céder. De l'amour à la haine il n'y a qu'un pas. Le gouverneur la fit mettre en prison, l'esprit du mal vint la tenter sous la forme d'un dragon ; elle l'enchaîna avec ses propres chaînes et sortit ainsi de prison. Fou de rage, son époux la fit pendre par ses cheveux ; sa chevelure était si solide qu'elle résista ; alors il la fit décapiter.

Nous entrons dans cette église du XIIe siècle par la porte latérale, et la statue de sainte Julienne avec son dragon enchaîné nous attend au fronton. Le martyre de la sainte devait circuler de bouche en bouche et son exemple être donné comme modèle d'une foi que rien ne peut entamer. Sur la façade de l'église on a remployé des sculptures plus anciennes mais nous sommes déjà habitués à cette iconographie très difficile à déchiffrer. Le chevet a trois absides ; au-dessus du transept, une tour. A l'intérieur, la coupole nervée a été refaite au XIXe siècle ; elle est de forme ovoïde, montée sur des pendentifs pas très esthétiques. Le cloître à doubles colonnes donne une impression de force et pourtant de mélancolie. Les chapiteaux historiés montrent le Jugement dernier et un ciel à degrés, des combats de centaures et d'animaux féroces, une chasse à l'ours. Tout l'ensemble forme le plus important monument roman de la côte cantabrique.

Avec le souvenir de sainte Julienne de Nicomédie nous entrons dans la capitale des Asturies : OVIEDO.

L'un à saint Salvateur mène,
L'autre à saint Jacques le Grand...

car, disait le proverbe :

Aller à Compostelle et pas à Salvateur
C'est oublier le Maître et saluer le serviteur !

C'est que dans la capilla Mayor de la cathédrale on garde précieusement sur un fût de colonne ayant pour chapiteau des coquilles de pèlerins renversées, une très ancienne statue du Sauveur datant, dit-on, du XIIe siècle. Mais la chapelle la plus vénérée était la Camara-Santa qui possédait un reliquaire dont l'énumération fait sourire : lait de la Vierge, manne de Moïse, vin des noces de Cana, etc. d'ailleurs on ne l'ouvrait jamais, on se contentait de le regarder fermé. Cette chambre sainte était divisée en trois parties : un vestibule, une antichambre où se lisent les graffiti des pèlerins français et qui possédait des statues-colonnes de l'époque romane, et la chambre ou abside où était ledit reliquaire. Il y avait également une crypte où l'on gardait le corps de la vierge santa Léocadia, dans la partie la plus ancienne de l'église, malheureusement pas épargnée en 1934, l'ensemble a été restauré.

D'Oviedo, au lever du soleil, il faut monter sur le mont NARANCO pour voir deux chefs-d'œuvre de l'art des Asturies. J'y suis montée un matin, trop tôt je pense (il était 7 heures). La bonne de M. le Curé que j'ai réveillée m'a traitée de « loca » Je ne regrette rien, car c'était inoubliable.

Le soleil se levait sur le palais du roi Ramire, qui vécut au IXe siècle ; au rez-de-chaussée les appartements privés et une salle de bains ; au-dessus une grande salle de réunion et deux belvédères, sortes de terrasses qui possèdent des colonnes et des chapiteaux qui ont l'air de sortir d'une étoffe d'Orient ou d'être sculptés dans de l'ivoire byzantin. Les colonnes sont de grandes tiges où de fines branches se rattachent pour finir dans un chapiteau de feuillage ou d'animaux affrontés. Le palais d'été est devenu église au XIe siècle et s'appela SANTA MARIA. Les appartements devinrent un tombeau et la grande salle le lieu du culte ; c'est la raison pour laquelle on y remarque un autel mozarabe. Un peu plus loin le roi avait fait construire une église : SAN MIGUEL DE LILLO. Le plan est en forme de tau renversé ; les fenêtres ont les mêmes colonnes striées, des arcs outrepassés et une décoration très arabe. A l'intérieur nous trouvons de curieuses sculptures traitées en méplat. L'une d'elles représente une sorte d'acrobate qui dresse ses jambes en l'air, prêt à faire la roue sous la menace d'un fouet tenu par un personnage, tandis qu'un lion fait le beau devant lui. Il est difficile de s'arracher à cet ensemble, mais nous touchons au but et c'est pourquoi notre regret s'estompe. Le chevet de l'église avait été refait au XVIIe siècle.

Les deux groupes, celui qui avait franchi les Pyrénées et celui qui avait longé la côte Cantabrique, se retrouvaient à SOBRADO ou à ARZUA. Une montagne barre l'horizon, c'est le dernier obstacle à franchir avant le but tant désiré. Ce mont a nom « Monte del Gozo : le mont de la Joie : Montjoie ». Chaque pèlerin retrouvait sa vigueur et gravissait allègrement la colline car celui qui arrivait premier à son sommet était appelé le Roi du Pèlerinage et gardait ce nom jusqu'à sa mort. Ce nom de Leroy, il le transmettra à sa postérité et tous ceux qui portent ce nom de famille doivent être fiers de leur ancêtre.

Des cris jaillissent de toutes les bouches : SANTIAGO ! SAN-

TIAGO ! Les yeux s'ouvrent aussi grands qu'ils le peuvent. Dans le soleil finissant trois clochers et une coupole se dessinent, l'or des rayons s'accroche à eux, et soudain dans le silence les cloches se mettent à sonner. Leur son remue l'atmosphère, fait tourbillonner les couches d'air qui renvoient leurs modulations et la plus puissante cloche de la chrétienté se fait entendre à cinq lieues à la ronde. Tous les pèlerins sont à genoux, les larmes coulent sur les joues et marquent des sillons à travers poussière et sueur mélangées. La terre promise est à leur pieds... Je compare leur joie à celle des Hébreux lorsqu'ils l'ont aperçue ! Je pense aussi à Moïse qui n'a pu que l'entrevoir de loin parce qu'il avait manqué de confiance. Le soleil s'est couché, lentement la foule va descendre, elle n'entrera pas ce soir dans la cathédrale, elle sait qu'elle doit brûler ses vêtements de route, se laver à grande eau et qu'elle aura droit à un habit propre au titre de pèlerin pour aller saluer l'apôtre.

Nous aussi réveillons-nous, laissons couler sur notre corps l'eau pure qui efface toute marque et prenons possession de cette ville « hors du temps ». Elle a gardé son charme exquis du Moyen Age malgré les ans qui ont passé sur elle sans la vieillir. La « calle » est ici la « rua », avec ses arcades, ses dalles mouillées car il y pleut souvent, et l'eau en se promenant sur ce miroir poli renvoie l'image des demeures des habitants et nous fait marcher comme, fillette, je le croyais de Saint-Jacques, sur le chemin du bleu du ciel !

Saint Jacques, il est partout, au coin de la rue ou devant une porte, nous le croisons au chapiteau d'une maison en le saluant comme un ami. Une fontaine où des chevaux écument nous conduit devant un escalier de granit où des paillettes de mica étincellent au soleil ; à gauche une énorme coquille, « la concha », sert de trompe en soutenant la tour qui possède la plus grosse cloche et forme l'angle du cloître. En haut des marches le portail de « las Platerias ». C'est là la fin de la route. De nombreuses sculptures ont été remployées mais nous avons l'habitude. Nos têtes se lèvent et nous cherchons à pénétrer le secret de la pierre. Des anges sonnant des trompettes, des corps nus qui s'agitent, un Christ bénissant au-dessus d'un Santiago émerveillé, et à sa droite, entre deux cyprès, le même saint Jacques que nous avions admiré à la

porte Miègeville à Saint-Sernin de Toulouse. Ces hauts-reliefs
en marbre proviennent de l'ancien portail occidental. Dans le
tympan de droite, l'Adoration des Mages et des scènes de la
Passion ; et nous retrouvons comme à Toulouse la femme au
lionceau. Dans celui de gauche, la tentation du Christ et l'image
de la femme adultère échevelée, l'air hagard, qui tient sur
son giron la tête de son amant que son mari a coupée et
qu'elle doit porter à ses lèvres durant toute l'éternité... Je ne
crois pas cela possible ; saint Jacques, au-dessus, doit inter-
céder... A notre gauche, au pied-droit, la création d'Adam,
mais un premier homme déjà racheté de sa faute d'orgueil,
car il cache sa nudité et Dieu l'enlace avec amour. Au-dessous
David prêt à jouer de la viole, roi superbe et majestueux, fier
de lui-même, sur le point d'envoyer le général Urie se faire
tuer pour épouser sa veuve Bethsabée. A notre droite la création d'Eve ; notre mère, cache sa nudité et Dieu la regarde
elle aussi avec indulgence.

Ce n'est cependant pas par cette porte que nous allons entrer
dans la gloire, mais par la porte occidentale qui porte ce nom.
Je sais bien que cette façade « del Obradoiro » n'est pas celle
que nous attendions. Elle est du XVIIIe siècle et churrigue-
resque ; mais ne soyons pas dépaysés par ce premier contact
puisque là-haut, au sommet, saint Jacques en pèlerin nous
accueille. Ce revêtement n'est qu'une enveloppe que l'on
déchire avec des doigts impatients lorsque la lecture qui nous
attend va nous apporter de la joie. Nous avons franchi la porte,
la grande, celle qui ne s'ouvre que les jours de fêtes et maintenant la lettre est devant nous. Mistral a dit : « Lou camin
de Sant Jaque au Paradis nous meno. » Les portes de la gloire
avec celles du Paradis sont grand ouvertes devant nous. Au
trumeau central des montres, la gueule béante, figurant le
péché et la mort sont écrasés, et Jessé relève fièrement la tête.

> *... Et ce songe était tel, que Booz vit un chêne*
> *Qui, sorti de son ventre, allait jusqu'au ciel bleu*
> *Une race y montait comme une longue chaîne,*
> *Un roi chantait en bas, en haut mourait un Dieu.*

De cette matière sortent tout d'abord des personnages avec
des corps imprécis, des visages voilés, puis dans ce chaos vont

se préciser les rois de Juda avec leurs instruments : ils montent progressivement l'échelle de l'Ancien Testament pour aboutir, dans un enlacement de branches, à la Vierge Marie. Au chapiteau la Trinité, mais le Christ a vaincu la mort puisque nous le retrouvons au tympan entouré de tous ses instruments de supplice et auréolé par les vingt-quatre vieillards. C'est le triomphe de l'Eglise catholique.

A notre gauche l'église des Juifs ; nous reconnaissons les prophètes Osée, Amos et, en continuant, Jérémie, Daniel, Isaïe et Moïse. A notre droite l'église des Gentils, ceux qui ont cru que le Christ était vraiment le Messie promis et qui ne vivent plus dans l'attente comme les Juifs. Tout d'abord saint Pierre, saint Paul, saint Jacques le Mineur, saint Jean ; et les autres suivent : le Précurseur n'a pas été oublié, il tient l'agneau qu'il annonce et son rôle a été de savoir s'effacer au moment voulu.

Entre la Trinité et le triomphe de la Gloire, sous les pieds du Christ glorieux voici notre saint Jacques assis, appuyant sa main gauche sur un bâton en forme de tau, et de sa main droite déroulant un long parchemin. Au-dessus de lui, sous le linteau du tympan, une inscription : « L'an de l'Incarnation 1183, de l'Ere 1226, le jour des Calendes d'avril, les linteaux du grand portail de l'église Saint-Jacques ont été mis en place par maître Mathieu qui a exercé la charge de maître d'œuvre depuis les fondements de ce porche. »

Qui est maître Mathieu ? Qui veut faire sa connaissance doit aller derrière le trumeau voir un petit personnage qui, dans l'ombre, bat sa coulpe en signe de pénitence pour avoir conçu et réalisé un tel chef-d'œuvre ! Maître Mathieu, c'était un Français. Il est venu de Cluny en passant par Saint-Gilles-du-Gard et c'est bien ici que se termine « el camino francès » !

Revenons devant le portail de la gloire, surtout à l'heure du soleil couchant. Il n'est plus roman, il est gothique, car il est humain. Dans le marbre polychromé les personnages s'animent. Les vieillards font résonner à nos oreilles la mélodie de leurs instruments ; deux par deux les prophètes s'interrogent : ont-ils bien tout annoncé ? Daniel est souriant, il se rappelle le jour où il arriva à faire proclamer l'innocence de la chaste Suzanne accusée faussement par les deux vieillards ; il semble nous redire : « Ne vous faites pas de mauvais sang, la vérité éclate toujours. » Les apôtres, eux aussi, se consultent, tandis qu'au-dessus le Jugement se prépare, mais Santiago a sa liste en main : tous ceux qui sont parvenus jusqu'à lui ont déjà leur nom gravé dans le ciel.

> *Qu'en Paradis nous puissions voir*
> *Dieu et Monsieur saint Jacques...*

Et nos pèlerins se sentaient déjà au Paradis, le marbre était devenu chair glorieuse. C'est peut-être ici que j'ai vraiment compris la puissance de ce don unique qui s'appelle « la Foi ». Bienheureux ceux qui la possèdent, elle est en eux comme un atavisme, ils ne peuvent la discuter, elle colle à eux comme un enduit, et même s'ils deviennent des hommes illustres dans les domaines de la science, des lettres, des arts et du droit, en temps de paix comme en temps de guerre ils continuent de croire... D'autres, à un tournant de leur vie, reçoivent parfois un choc ; d'autres la perdent car le doute est entré en eux ; certains n'auront d'autre but que le néant, qu'un grand vide après la mort !

Dans le chaos du trumeau, au début de l'arbre de vie, les mains se sont appuyées, les doigts ont choisi leur emplacement a travers les rameaux. Devant moi les touristes d'aujourd'hui refont le même geste, car c'est plus fort qu'eux : même s'ils ne croient pas, ils sont les héritiers de ceux qui ont cru en la vie qui les a prolongés.

Maintenant nous pouvons entrer dans ce sanctuaire qui nous rappelle Conques, et surtout Saint-Sernin de Toulouse, mais Saint-Jacques ne possède qu'une seule nef latérale. Nous retrouvons les tribunes aériennes ; dans le chœur, au maître-autel, la statue de saint Jacques assis avec sa gourde en or attachée à son bourdon, son manteau d'argent en forme de pèlerine constellée de gemmes ; et au-dessus, encore saint Jacques debout, en pèlerin, ayant à ses pieds des rois qui s'inclinent ; plus haut encore, dans le bois doré du dais, il chevauche dans la bataille. De la tour-lanterne pendait le câble qui maintenait le botafumeiro géant, ce grand encensoir que huit hommes maniaient difficilement et qu'il était nécessaire d'actionner au moment des pèlerinages lorsque l'eau était rare à Santiago. Je le comprends d'autant mieux que, chaque fois que j'y suis allée, l'eau manquait depuis le soir jusqu'au matin.

Tout ce déploiement de luxe, ce bois doré, cet or, cet argent devaient émerveiller nos pèlerins ; ils priaient mais ils savaient aussi regarder.

Du palais Gelmirez, aujourd'hui musée, nous pouvons voir le côté sud purement roman dans une cour intérieure. Mais nous irons surtout sur la place de los Literarios, cette place austère où devaient se grouper les pèlerins pour entrer par la porte sainte, qui ne s'ouvre plus que lorsque la fête de saint Jacques, le 25 juillet, tombe un dimanche. Ce fut le cas en 1976. Tout autour on a remis dans des niches, où ils ont l'air d'être à l'étroit, des apôtres, des patriarches et des prophètes qui, la tête en avant, conversent entre eux.

Les pèlerins demeuraient un mois à Compostelle. Ils y étaient hébergés à l'hôpital « Real » depuis le jour où les rois catholiques l'ont orné d'une façade plateresque qui tranche sur la sobriété de la façade. C'est aujourd'hui un hôtel situé sans doute dans le meilleur cadre de toute l'Espagne. Les chambres donnent sur quatre patios, sorte de cloîtres ornés au centre d'une fontaine entourée de fleurs. Dans la chapelle à coupole, où nous retrouvons saint Jacques, il y a souvent des concerts de musique sacrée ; en tournant le bouton dans notre chambre, nous avons la retransmission. Il faut coucher dans cet ancien lieu de la charité. Le directeur m'a assurée qu'il existait toujours de petites chambres pour les vrais pèlerins de passage qui font leur route à pied, afin que la tradition d'hospitalité se perpétue à travers les âges.

La cathédrale est la foi, à sa droite est la charité ; en face maintenant, l'hôtel de ville ; et en face de l'hôpital se trouve l'ancien collège San Jeronimo avec son tympan dédié à sainte Anne et à la Vierge. Aujourd'hui l'enseignement s'y perpétue puisque c'est la Escuela Normal ; derrière, l'ancien colegio de Fonseca est devenu la Faculté de pharmacie ; de son cloître émergent les tours de la cathédrale.

Mais nous devons aller jusqu'au bout de la route à Padron, au bord de l'Ulla, là où le cercueil du saint a échoué. Le site est resté le même. Des barques ramènent des pêcheurs ; près du port nous cherchons une coquille Saint-Jacques abandonnée, une vraie ; j'en saisis une, je la plonge dans l'eau pour la nettoyer. Nos pèlerins buvaient-ils cette eau ou la laissaient-ils couler sur leur front comme un nouveau baptême, une purification finale, car leurs péchés s'étaient usés sur les routes. Cette coquille, elle ne quittera jamais notre jacquaire ; il s'en servira pour boire sur le chemin du retour et plus tard, au seuil du Paradis, elle sera son passeport.

Mais nous, nous devons retourner dans la nef de la cathédrale. C'est l'heure du crépuscule, l'heure où les passions osent s'avouer, c'est aussi l'heure de la vérité. Dans cette fin de jour, la voûte est bleue ; il me semble que je respire l'odeur de l'encens froid du grand encensoir qui ne sert plus ; l'or et l'argent de la statue de Saint-Jacques scintillent ; je descends par un escalier sous le maître-autel où un tombeau d'argent ruisselle, lui aussi, de lumière dans la pénombre. C'est ici le tombeau de saint Jacques. Et ce tombeau, je sais et je savais au début de mes routes qu'il est VIDE...

Aucun texte officiel ne parle de l'évangélisation de saint Jacques en Espagne, et encore moins de la barque amenant le corps du martyr. Alors d'où viennent ces merveilleuses légendes ? Essayons de comprendre.

Au VIIIe siècle, le Maure est venu jusqu'à Poitiers. Il est redescendu lentement. Durant ce temps, en 712, Pelayo avec 300 soldats écrasait les Arabes à Covadonga. C'était le signal de la Reconquête. Charlemagne traversa les Pyrénées et l'on fit, en Galice, la découverte d'un sarcophage de marbre contenant un inconnu que la foi de Pélage et de Théodemir appela le tombeau de Santiago. Première grande bataille de Clavijo, en 844, où l'esprit de l'Apôtre (prié depuis cette découverte) redressa tous les courages défaillants. Une église fut, en effet, construite dans « le champ de l'étoile » et c'est elle que l'évêque Godescale, parti du Puy en 951, put contempler. Les fouilles effectuées dans la nef ont mis à jour des fondations de l'église d'Alphonse III datant de 879 et le tombeau de l'évêque Théodemir. Nous savons aussi que ce premier jacquaire s'arrêta non loin de Clavijo, dans le couvent San Martino de Albelda, pour y copier certains manuscrits espagnols qui serviront en France de modèles à nos sculpteurs. Deux de ces textes ont été emportés par lui au Puy. Ils étaient dans la bibliothèque jusqu'en 1680, date à laquelle Colbert demanda ces manuscrits. Le traité sur « la Virginité de la Vierge », relié aux armes de Colbert, est à la Bibliothèque Nationale et le manuscrit sur « Saint Hildephonse » est à Parme. Dans ce dernier, un dessin montre l'évêque assis ayant un moine à ses pieds. Mais l'ennemi revint deux fois à Santiago, en 988 et 994, et l'église fut entièrement rasée, le tombeau de nouveau envahi par les broussailles.

Alphonse VI est roi de Léon au xie siècle, il épouse Constance de Bourgogne, la nièce de Hugues de Semur, le grand « Abbé des Abbés » de Cluny. Le roi se tourne vers Cluny pour lui demander du secours contre les Maures. Saint Hugues lui envoie des chevaliers : Eudes de Bourgogne, son frère Henri et leur cousin Raymond. Deux mariages s'en suivent : Raymond épouse Urraca, fille aînée du roi, et a en partage la Galice et la région entre Douro et Minho ; Henri épouse Thérèse, seconde fille du roi, et de l'union d'un Bourguignon pas encore Français et d'une Léonaise pas encore Espagnole va naître le premier roi du Portugal. Ainsi sont nés les rapports constants entre la Bourgogne et l'Espagne.

Cluny va prêcher en France la Guerre Sainte contre l'Islam et lancer le grand mouvement du pèlerinage de Saint-Jacques qui ne compte vraiment dans l'histoire qu'à partir de cette époque. L'église est reconstruite sur le tombeau redécouvert, l'ordre militaire de Santiago est confirmé par le Pape Alexandre III en 1175, la règle de Cluny s'impose aux plus puissantes abbayes d'Espagne ; et cette armée pacifique, composée environ de 500 000 personnes, sillonnera chaque année les routes tracées pour elle, empêchant l'ennemi de remonter ; et pour elle aussi toute la floraison artistique fera notre Moyen Age si beau.

Emile Mâle a écrit : « Les reliques eurent une puissance évocatrice incomparable, firent jaillir les églises de terre, mirent les foules en mouvement, inspirèrent les artistes. Sans elles, on ne comprend parfaitement ni notre géographie, ni notre histoire, ni notre littérature épique. » Daniel-Rops déclare : « C'est se condamner à ne comprendre rien aux hommes ni aux événements du Moyen Age que perdre de vue un seul instant que tout et tous n'existaient qu'en fonction de la foi chrétienne. Elle est la pierre angulaire de l'édifice. La religion s'impose aux esprits comme un absolu que nul ne discute. D'indifférence on ne voit trace, d'athéisme moins encore. Du plus humble au plus grand, une société entière croit. »

Nous avons dans ces témoignages toute la lumière que nous souhaitons. Cluny sait bien que le corps de saint Jacques n'est pas à Compostelle, mais les Clunisiens relancent le pèlerinage et construisent pour lui abbayes, hostelleries et prieurés et cette invention crée notre Moyen Age car si nous supprimons ce pèlerinage nous anéantissons tout ce que cette époque nous a légué et qui, malgré des pertes irréparables, reste encore une de nos plus grandes gloires nationales. L'histoire du pèlerinage de Compostelle durera bien plus longtemps que le rôle de Cluny en Espagne, mais l'initiative en restera à Cluny.

En Palestine, le croisé allait défendre les lieux saints, mais il savait bien que le Christ n'y était plus, puisqu'il avait vaincu la mort. A Rome, le romieu s'inclinait devant le chef de l'Eglise, le successeur de Pierre, dont on ne savait pas exactement où était le corps, mais qui avait subi le martyre sur la place qui porte son nom.

Je regarde le tombeau et mon amour pour saint Jacques grandit encore. S'il était là, que resterait-il de lui ? Quelques ossements, un peu de poussière. Mais dans ce sanctuaire, il est vivant. La foi de milliers et de milliers de croyants a créé cette cellule initiale qui a pris corps et je pense à tous les savants qui, actuellement, veulent tout expliquer, même la vie, et qui buttent sur cette première cellule, laquelle ne pouvait être que le désir d'un Dieu de créer avec rien.

Les foules ont marché, confiantes, comme des aveugles, sans poser de question... Les abbayes se sont construites, les hôpitaux, les hospices, les hôtels-Dieu, les hostelleries, les routes et les ponts. Les idées se sont brassées comme les foules. La littérature est née : Chanson de Roland, Chronique de Turpin, Chansons de Geste. Ce pèlerinage a été constructif et bâtisseur.

Nous sortons de la cathédrale ; au ciel vient de s'allumer la première étoile, justement placée au-dessus du « champ de l'étoile ». Demain il faudra repartir, reprendre une des routes qui nous ramènera à notre point de départ, mais nous avons désormais un ami fidèle qui se trouvera souvent sur notre chemin. Nous le connaissons et nous le saluerons au portail des églises, sur la façade de vieilles maisons et même dans les musées lorsque, la demeure ayant disparu, son habitant doit se contenter de la « maison commune ». Quant à la coquille, nous serons maintenant surpris de constater que c'est un ornement décoratif qui figure partout. Près de Saint-Jacques-de-Compostelle, dans l'église de Pontevedra, le jour de la procession du 15 août, la Vierge a sur la tête un large chapeau orné de coquilles et dans la main un bourdon auquel on attache la gourde, lorsque le jour de sa fête elle sort en ville, Vierge pèlerine...

J'ai fini et je n'ai pas tout dit. Seul l'essentiel a été résumé. Je n'ai pas toujours suivi les grandes lignes tracées, j'ai souvent fait l'école buissonnière pour pouvoir suivre mes personnages ; et à cause d'eux j'ai brûlé des étapes, et mon itinéraire est incomplet. Pourtant il reste des fils conducteurs importants : Cluny, l'interpénétration des styles « mozarabe et mudéjar », l'apport du « Roman français » en Espagne et celui de « l'influence arabe » en France.

Je sais aussi qu'il y a plusieurs saints « Jacques », mais mon héros demeure celui de la voie lactée ; et il ne m'a pas trompée puisque, à cause de lui, la route de la découverte artistique a été tracée.

Je n'ai rien écrit qui n'ait été déjà écrit, je n'ai rien découvert, j'ai seulement su regarder, lorsque j'ai mis mes pas dans ceux de mes aînés dont je ne suis que la très modeste héritière. Mais mon héritage je ne dois pas le garder jalousement pour moi, alors j'ai entraîné les autres à me suivre.

J'évoque ce couple, ces jeunes gens qui avaient fait le vœu d'aller des Pyrénées à Saint-Jacques à pied sans se connaître, qui se sont connus en chemin et fiancés sur la colline de Montjoie. Je songe aussi à ceux qui n'ont pu atteindre le but, à vous « Jacqueau » qui mourant êtes resté à Logroño et que nous avons repris au retour, ressuscité, en vous remettant la coquille que pour vous, nous avions ramassée sur la plage à Padron. À vous « mon ami Jacquot » que je n'ai pu entraîner sur ma route, parce que dans la vie il faut toujours choisir lorsque deux directions s'offrent et que « choisir » c'est renoncer à tout le reste.

En creusant un caveau de deux mètres de large, le fossoyeur du petit cimetière entourant l'église de SAINT-JUST-DE-VALCABRÈRE trouva à quatre-vingts centimètres du sol des pierres plates qui recouvraient cinq corps bien alignés : sur deux d'entre eux une coquille percée d'un trou et à côté des fers rouillés, les restes de bâtons de pèlerins. Ces deux coquilles et ces ferrures m'ont été remises. Quand je les regarde, je pense au vieil Ambroise, celui de l'Aubrac et de la « Mauve » qui est mort au terme du voyage sans avoir eu le temps de ramasser sa coquille et qui avait quand même gagné son paradis...

Un soir après une conférence vous m'aviez dit, monsieur Paul Deschamps : « Vous avez fait de l'archéologie en y ajoutant de la poésie. » Vous m'aviez donné ce soir-là la plus grande preuve d'encouragement.

Apprendre à faire rêver les êtres pour qu'ils construisent leur réalité sur les rêves qu'ils ont su retenir, inciter les touriste d'aujourd'hui à marcher dans les sillons tracés par leurs aïeux, leur faire connaître l'enthousiasme et la joie d'admirer l'œuvre de « main d'homme » parmi les richesses de la terre : montagne, fleuve, forêt, soleil, vent et pluie, sur tous les petits chemins de Saint-Jacques ou sur la grande route de la Foi séculaire.

INDEX DES LIEUX CITES

TABLE DES MATIERES

ACHEVÉ D'IMPRIMER EN
EN FÉVRIER 1977
SUR LES PRESSES DES
IMPRIMERIES RÉUNIES
22, RUE DE NEMOURS
———— RENNES ————

Nº d'édition : 1071

Dépôt légal : 1er trimestre 1977